Luc Vanneste & Erwin De Decker

20x logeren & wandelen in Vlaanderen

lannoo

inhoud

voorwoord

Op de markt van wandelgidsen tref je veel gidsen aan die, verspreid over een bepaald gebied, een aantal wandelingen aangeven. Steeds meer wandelaars zijn echter op zoek naar een plek vanwaaruit ze meerdere dagen kunnen stappen. Daarbij wensen ze een leuk hotelletje of B&B als basis, om niet telkens met het probleem van de bagage opgezadeld te zitten. Daarom hebben we gezocht naar leuke logies met in de onmiddellijke nabijheid drie wandelparcours doorheen een verscheidenheid van landschappen. Bevrijd van bagage en startend aan het logement kun je dan de omgeving verkennen. Op het einde van de wandeling staat een heerlijke douche, een rijk gevulde maaltijd en een zalig bed te wachten. 's Anderendaags kun je na een fijn ontbijt en met verse krachten de volgende wandeling ondernemen.

In de eerste plaats blijft dit boek een wandelgids. Uiteraard kan de dagwandelaar er zonder gebruik te maken van de logies, toch dertig dagwandelingen in vinden. Daarbij is met opzet gezocht naar wandelmogelijkheden die deels buiten de vaak belopen paden liggen. Speciale aandacht is besteed aan natuurgebieden, bossen, jaagpaden langs kanalen,.... Wegen met verkeer worden gemeden als de pest, en waar ze toch voorkomen is het om mooie plekjes aan elkaar te rijgen.

In de provincie Antwerpen zoeken we de weidse open ruimten rond **Turnhout** op. Meer naar het zuiden vinden we bij **Grobbendonk** prachtige trajecten langs de Kleine Nete, de Aa, het Albert- en het Netekanaal. We bezoeken er in Herentals Hidrodoe, waar alles in het teken van water staat. In Noord-Limburg kun je vanuit **Kleine-Brogel en Peer** prachtige wandelingen maken naar de Lommelse dennenbossen, het Kanaal van Bocholt naar Herentals en het afwisselende landschap rond Grote-Brogel en Reppel. Meer in het zuiden van de provincie wandelen we tussen de boomgaarden rond **Borgloon**. Vanuit een echt kasteel verken je dorpjes met gekke namen als Mettekoven, Bommershoven en Veulen.
In Vlaams-Brabant is **Diest** de uitvalsbasis voor ontdekkingstochten door de Demervallei, naar de Kempense bossen en over de heuvels van het Hageland. Je gaat er op alternatieve beeweg naar Scherpenheuvel. Ten zuiden van Leuven lig-

gen de idyllische Dijlevallei, het Heverleebos, het onmetelijke Meerdaalwoud en de weidse panorama's over het Brabants Plateau op je te wachten. Je verkent ze vanuit een charmante B&B in **Korbeek-Dijle**.

Zelzate lijkt op het eerste gezicht geen ideale buurt om te wandelen maar eenmaal buiten het centrum sta je wel in het Meetjesland of de Wase Polders. Een uitstap naar Axel in Zeeuws-Vlaanderen rondt de vakantie af. De andere bestemming in Oost-Vlaanderen laat je kennismaken met het mooiste van de Vlaamse Ardennen. Vanuit het gehucht Louise-Marie in **Maarkedal** verken je het land van Omer Wattez en proef je over de taalgrens heen van een tipje van het Pays des Collines.

In **Westouter** toer je door die andere Vlaamse heuvelstreek, het West-Vlaamse Heuvelland. Hier steek je de 'Fransche schreve' over naar de Monts de Flandre. In West-Vlaanderen eindigen we onze tocht in het uiterste westen van de kuststreek. Vanuit **De Panne of Koksijde** verken je de Westhoek en de polders van de Moeren. Op weg naar Nieuwpoort rijg je meerdere natuurgebieden aaneen.

Elk van de tien wandelbestemmingen is opgebouwd rond eenzelfde structuur. We beginnen met een inleiding en enkele smaakmakers, interessante informatie over de streek, de gemeente en een natuurgebied. Kortom, de topics of de file rouge van het gebied waar de wandelingen voorkomen. Dan volgt een pak praktische informatie over hoe je best naar de bestemming reist, de aard van de trip, de beoordeling, interessante infoadressen, websites en bijkomend kaartmateriaal. Vervolgens komen de wandelingen een voor een aan bod. We beginnen met een inleiding van wat er op het traject te zien valt. Praktische informatie zoals afstand, aard van de wegen, toegankelijkheid en alternatieven worden aangevuld met suggesties waar je onderweg iets kunt eten en drinken. Dan volgt een uitgebreide beschrijving van het parcours zodat je zonder problemen de weg vindt. Tussendoor geven enkele tekstblokjes meer uitleg over de omgeving die je bewandelt.

Wij wensen je alvast een aangename wandelvakantie!

Luc Vanneste en Erwin De Decker

over dit boek

Deze gids biedt je tien tot in de puntjes uitgewerkte ideeën voor een driedaagse wandelvakantie in Vlaanderen, samen goed voor dertig dagen wandelplezier. Bij de selectie van de bestemmingen streefden we naar een zo groot mogelijke diversiteit aan landschappen en spreiding over de regio's. Zo komen in iedere provincie altijd twee vakanties voor in telkens een ander landschapstype. Elke keer gingen we op zoek naar twee leuke overnachtingsplaatsen. De drie wandelingen per vakantie starten – enkele uitzonderingen niet meegerekend – steeds aan (een van) deze hotels of B&B.

De duur van de trips bedraagt telkens drie dagen. Hiermee kun je gerust een verlengd weekend wandelend aan je trekken komen. Zelfs de fervente stappers die alle uitbreidingen kozen, hebben dan iedere dag zo'n 25 km afgelegd.

Alle wandelingen zijn in lusvorm. Hierop is een uitzondering: de laatste wandeling van het boek -van De Panne naar Nieuwpoort- is een traject in lijn, waarbij je met de kusttram naar het beginpunt terugkeert. Iedere wandeling heeft minstens een verkorting of een uitbreiding, vaak zelfs beiden of zelfs twee uitbreidingen. De lengte van de parcours schommelt tussen 13 en 24 km. De verkortingen liggen tussen 6 en 17 km, de uitbreidingen gaan van 17 tot 27 km. De trajecten volgen soms bewegwijzerde wandelpaden, maar we zijn ook op zoek gegaan naar onbekend en onbemind terrein. Elk traject werd echter nauwgezet in het terrein getest.

De tochten eisen geen specifieke ervaring, zodat de doorsneewandelaar geen probleem zal ondervinden. Enkel de uitbreiding door de Korbeekse beemden kan je natte voeten bezorgen. Je hoeft dus enkel de afstand te kiezen in functie van je eigen kunnen en de weersomstandigheden.

Voor deze vakantie zochten we enkele leuke overnachtingsplaatsen. Soms gaat het om een hotel, in andere gevallen om een Bed and Breakfast (B&B). Zonder uitzondering staan ze garant voor kwaliteit en we stonden erop om ze in het zonnetje te zetten.

Bij elke tocht vind je een uitgebreide en zorgvuldig uitgekiende wandelbeschrijving, die het toelaat om zonder de minste problemen het eindpunt van de etappe te halen. Daarnaast lichten enkele tekstblokken je in over algemene kenmerken van de streek. Soms gaat het om de bezienswaardigheden in een gemeente, de historiek van een stad of de kenmerken van een natuurgebied. De praktische informatie zal je thuis toelaten om alle nodige voorbereidselen te treffen over bereikbaarheid, het reserveren van logies, het opzoeken en opvragen van nodige documentatie en kaartmateriaal. Speciale aandacht werd besteed aan de adressen, telefoon- en faxnummers, emailadressen en websites. Zo kun je beter de wijzigingen -in bijvoorbeeld openingsuren- nagaan.

De drie wandelingen van elke vakantietrip zijn telkens in een verschillende kleur ingetekend op een kaart. Het maakt het niet alleen mogelijk om de wandeling tot een goed einde te brengen, de kaart laat tevens toe dat je zelf inkortingen of uitbreidingen kunt maken. Indien gewenst kun je zelfs delen van verschillende wandelingen aan elkaar koppelen tot een nieuwe wandeling. De bijbehorende referentiepunten zijn in dezelfde kleur als de wandeling weergegeven en verwijzen naar de geschreven tekst.

Deze gids is met de grootste zorg samengesteld. Alle gegevens zijn ter plekke zorgvuldig gecontroleerd. Maar ze liggen niet voor eeuwig vast. Een pad kan om de een of andere reden worden afgesloten. De bewegwijzering kan gewijzigd worden of verdwijnen bij gebrek aan onderhoud. Een boom met een voor het parcours erg nuttig routeteken kan omwaaien of omgezaagd worden. Vandalen kunnen wegwijzers of routebordjes wegnemen of vernielen...
Daar kunnen auteur noch uitgever van deze gids iets aan doen.
De redactie zou het evenwel heel erg appreciëren mocht je zelf vastgestelde wijzigingen meedelen. Op die manier maak je je uiterst nuttig voor het actualiseren van een volgende uitgave van deze gids.
Ons adres: 20 x Wandelen en logeren in Vlaanderen, Uitgeverij Lannoo, Kasteelstraat 97, 8700 Tielt, ✉ redactie.toerisme@lannoo.be.

overzichtskaart

nout
Ter Driezen
Domein Het Puij
melryck
E34
Villa Christina
Casa Ciolina
Albertkanaal
PEN
Maaseik
E313
LIMBURG
DUITSLAND
Diest
The Lodge
E314
Genk
RABANT
HASSELT
De Kerckhem
UVEN
St.-Truiden
Kasteel van Rullingen
Tongeren
Huilewind
E40
BANT
Waremme
LUIK
Verviers
Huy
LUIK
MEN
Meuse
N
Dinant
Marche-en-
Famenne
LUXEMBURG
1 Vennegebied
1 Beerse
1 De Liereman
2 Nijlen
2 Pulderbos
2 Herentals
3 Lommel
3 Kaulille
3 Peer
4 Wellen
4 Mettekoven
4 Bommershoven
5 Averbode
5 Halen
5 Scherpenheuvel
6 Dijle
6 Meerdaalwoud
6 Voer
7 Assenede
7 Wachtebeke
7 Axel
8 Bois d'Houppe
8 Schorisse
8 Etikhove
9 Kemmel
9 Sint-Jans-Cappel
9 Katsberg
10 Westhoek
10 De Moeren
10 Nieuwpoort

praktisch algemeen

LOGIES

Het welslagen van een meerdaagse wandelvakantie hangt niet alleen af van een goede wegbeschrijving. Even belangrijk, zo niet essentieel, is een douchebeurt na de stapdag, een goede maaltijd, een heerlijk bed en het ontwaken met een uitgebreid ontbijt. In deze gids beschrijven we per vakantie de ideale logies. De wandelingen zijn zo uitgestippeld dat ze aan of dicht bij de overnachtingsplaats starten en eindigen. Dit boek is uiteraard ook geschikt voor wie eendaagse wandelingen wil maken.

BESCHRIJVING

We kozen wandelingen die telkens een ander cachet van de streek aandoen. We kozen voor wandelingen van ca. 15 km lengte, waarbij er meestal een verkorting en een uitbreiding mogelijk is. We opteerden voor een uitgebreide routebeschrijving om de kans op verloren lopen te beperken. Samen met het bijbehorende wandelkaartje moet dit volstaan om het traject probleemloos te volgen.

WANDELKAARTJES

Bij de kaartjes is speciale aandacht besteed aan opvallende elementen in het landschap. Kerktorens, kapelletjes en bosarealen vergemakkelijken de oriëntatie. De aard van de weg wordt in drie categorieën ingedeeld:

- Als de gekleurde lijn tussen twee volle zwarte lijntjes loopt, gaat het over een verharde weg (d.i. asfalt of beton) met verkeer. In veel gevallen betreft het doodlopende wegen of wegen met enkel plaatselijk verkeer.
- Als de gekleurde lijn tussen twee zwarte stippellijntjes loopt, gaat het over een half- of onverharde weg, d.i. grind, aarde.
- Als er enkel een gekleurde lijn te zien is, wandel je over een onverhard pad (grind, aarde, gras). Een stippellijn duidt op een variant. Iedere wandeling is in een andere kleur voorgesteld. Op elk kaartje vind je een aantal referentiepunten (cijfers in een gekleurde bol), die ook terug te vinden zijn in de tekst.

UITRUSTING

Uiteraard zijn goede, liefst ingelopen stapschoenen een must als je er voor enkele dagen op uit trekt. Een kleine rugzak waar plaats is voor wat proviand en wat kledij tegen veranderende weersomstandigheden moet volstaan. Vergeet geen pleisters voor het geval je blaren zou hebben. Niets is onaangenamer dan een pijnlijk gevoel aan je voeten. Bij zonnig weer is een petje of een hoedje geen overbodige luxe. Dat helpt je ook in de bossen tegen teken. Draag daarom ook een lange broek. Deze helpt je ook door nat gras of als er netels zijn.

DE BESTE PERIODE

Alle wandelingen kunnen in elk seizoen afgestapt worden. Houdt er wel rekening mee dat buiten de zomerse maanden de aardewegen er modderig bij kunnen liggen. Bossen zijn uiteraard op hun mooist in het voor- of najaar wanneer boshyacinten of vallende bladeren voor mooie kleurpaletten zorgen. Voor het weekend in Borgloon is de lente het meest aangewezen als je de fruitbomen in volle bloesems wil meemaken. De Panne – Koksijde is een mooi arrangement als je buiten het seizoen – zelfs bij hevige wind – aan de kust wilt uitwaaien.

BEOORDELING

Deze rubriek vermeldt de algemene toestand van het traject van de drie wandelingen: welke ondergrond mag je verwachten, hoe is het terrein na hevige regenval, zijn er perioden waarin delen van het parcours afgesloten zijn (bvb. broedseizoen van vogels), ... In functie van deze gegevens en de weersomstandigheden kun je hiermee de volgorde van de wandelingen bepalen.

HOE KOM JE ER?

MET DE AUTO In het praktische gedeelte van elke vakantie vermelden we hoe je het best de logiesplaats bereikt.

MET DE TREIN Veel tochten zijn met enige goede wil met de trein te bereiken. Je laten afhalen aan het dichtstbijzijnde station is uiteraard ook een oplossing.

DOCUMENTATIE EN INFORMATIE

Bij elke vakantie staan onder de rubriek 'Informatie' de adressen van de toeristische diensten in het gebied, evenals van de belangrijkste bezienswaardigheden langs het traject.

KAARTEN

Bij elke wandelvakantie vind je info over kaarten. Zeker als je geen ervaring hebt met wandelen en kaartlezen, is het aan te raden de opgegeven kaarten aan te schaffen. Dat kan in de gespecialiseerde reisboekhandel. Een lijst vind je op www.reisboekhandel.nl of www.wegwijzer.be. Hier alvast enkele adressen:

- Pied à Terre: Singel 393, 1012 WN Amsterdam, 020 627 44 55, 020 620 89 96, info@piedaterre.nl, www.piedaterre.nl.
- Landschap: Kleine Berg 3, 5611 JS Eindhoven, 040 256 96 53, 040 256 96 54, info@landschapreisboekwinkel.nl, www.landschapreisboekwinkel.nl.
- Atlas & Zanzibar: Kortrijksesteenweg 19, 9000 Gent, 09 220 87 99, 09 220 87 99, atlas.zanzibar@skynet.be, www.atlaszanzibar.be.
- Nomade: Herbert Hooverplein 17, 3000 Leuven, 016 22 66 96, 09 20 37 93, infonomade@hotmail.com, www.nomade.be.

Verdere websites: www.ngi.be (zie ook CDrom Lannoo/NGI op www.lannoo.com).

1. Turnhout

BOSSEN, NATUURGEBIEDEN EN EEN KANAAL

Turnhout is met 40.000 inwoners de belangrijkste stad in de Antwerpse Noorderkempen. De bebouwing wordt door het nauwe keurslijf van de ring in toom gehouden. Eens daar voorbij kom je in een prachtige groene gordel. Naar het noorden toe vind je veel akkers en weiden naast grote vennen en heidevlakten. In de zuidelijke boog rond de stad liggen drie woongemeenten midden in het groen. Vosselaar biedt je zelfs het hele gamma, van loof- en naaldbossen tot een heuse landduin.

De kans is groot dat je op de Zandvenheide grutto's ziet vliegen. Je herkent ze aan hun lange, rechte snavel en aan hun geroep: 'grutto, grutto!'

IN DE NOORDERKEMPEN

Onze logiestips: Het kasteel **Maxburg** werd genoemd naar Maximilliaan Van den Bergh, een jeneverstoker uit Antwerpen. Arie Van Dijk en zijn vrouw deden er bijna tien jaar over om het kasteel minutieus te restaureren. Het is hen meer dan gelukt. Liesbeth en Gust Keersmakers beslisten een paar jaar geleden om hun zaak om te bouwen tot een knus hotel met een unieke stijl. Ze weten precies wat gasten verwachten, een kleinschalig tophotel met een persoonlijke ontvangst: **Hostellerie Ter Driezen**.

Onze wandeltips: De drie wandelingen voeren je door afwisselende landschappen. In het Turnhoutse Vennengebied verken je de ontgonnen heide. In de Liereman begeef je je op beschermd terrein en moet je tijdens het broedseizoen een andere route nemen. In Beerse en Vosselaar zoek je enkele kleinere natuurgebieden op, onderweg kom je nog langs een landduin. Het Kanaal Dessel-Schoten is de rode draad, of in dit geval, het blauwe lint doorheen de drie wandelingen.

Slapen in de keuken

HOSTELLERIE TER DRIEZEN

Liesbeth en Gust Keersmakers van *Hostellerie Ter Driezen* in Turnhout vierden in 2005 een dubbele verjaardag: dertig jaar geleden begonnen ze met hun horecazaak in een huis dat 175 jaar geleden gebouwd werd door de eerste Belgische burgemeester van Turnhout.

Toen de Keersmakers het grote herenhuis in het centrum van de stad kochten, had het jarenlang leeggestaan. Gust was net afgestudeerd van de hotelschool en kon zijn droom waarmaken door hier een restaurant te openen. Omdat het huis groot genoeg was, richtten ze meteen ook een paar gastenkamers in, niet alleen omdat er toen nauwelijks logies was in Turnhout, maar ook omdat ze het extra inkomen goed konden gebruiken.

Een paar jaar geleden beslisten de Keersmakers om het roer om te gooien en het restaurant te sluiten. Ze verbouwden het huis tot een knus hotel met een persoonlijke stijl. Volgens Liesbeth was dat een natuurlijke evolutie: "Er was steeds meer vraag naar kamers en we wilden wel eens wat anders doen. Door de ervaring van de voorbije jaren wisten we precies wat de gasten verwachten: een kleinschalig tophotel met een zeer persoonlijke ontvangst".

Hostellerie Ter Driezen telt nu vijftien smaakvol individueel ingerichte kamers; ze hebben tv, telefoon, badkamer, minibar en roomservice. De kamers op de eerste en tweede verdieping zijn groot en stijlvol. De nieuwere kamers op de gelijkvloerse verdieping zijn moderner, maar getuigen van evenveel klasse. Eén kamer bevindt zich in de vroegere keuken van het restaurant.

In de zaal wordt nog steeds het ontbijt opgediend. De gasten mogen ook gebruikmaken van de bar en de bibliotheek met fauteuils. Door de combinatie van mooi meubilair en zachte pastelkleuren in een histo-

Hostellerie Ter Driezen, Herentalsstraat 18, 2300 Turnhout
+32 (0)14 41 87 57, terdriezen@yahoo.com, www.ter-driezen.be
naargelang de kamer: vanaf 140 euro per nacht per kamer, ontbijt inbegrepen.

risch kader krijgt het geheel een Britse toets; het huis straalt warmte en gezelligheid uit.

Tijdens de week ontvangt het viersterrenhotel vooral zakenlui die de persoonlijke ontvangst, de rust en het comfort weten te waarderen. Tijdens de weekends en de vakantieperiodes ontdekken steeds meer toeristen het hotel; ze maken gebruik van de fietsarrangementen door de Antwerpse Kempen, waarbij de fietsers zich geen zorgen hoeven te maken over de bagage, die voor hen van het ene hotel naar het andere hotel getransporteerd wordt.

Door de combinatie van mooi meubilair en zachte pastelkleuren in een historisch kader krijgt het geheel een Brits accent; het huis straalt warmte en gezelligheid uit.

Intieme luxe

B&B MAXBURG

Maxburg had een bewogen geschiedenis. Het kasteel is genoemd naar Maximiliaan Van den Bergh, een jeneverstoker uit Antwerpen die in het midden van de negentiende eeuw in Meer bij Hoogstraten landerijen kocht om graan te verbouwen. Tegen 1869 gingen de zaken zo goed dat hij hier een stokerij en een riant landhuis bouwde. Omdat het echtpaar Van den Bergh kinderloos stierf, kwamen het landhuis en de stokerij in andere handen.

De stokerij werd omgebouwd tot kapel, op het domein werden paarden gefokt, de bossen werden gerooid. Net voor de Tweede Wereldoorlog kwam het kasteel in het bezit van Albert Naveau, kapelaan in Meer, die het kasteel en de kapel liet restaureren en het openstelde als museum. Na de oorlog moest ook hij het kasteel verkopen. De gebouwen en de tuinen raakten in verval en bleven vijftig jaar onbewoond, tot Arie Van Dijk en zijn vrouw ze in de jaren negentig verwierven.

Arie Van Dijk deed er bijna tien jaar over om het kasteel minutieus te restaureren en zo veel mogelijk terug te brengen in zijn oorspronkelijke staat.

Arie werkte voor een architectenbureau en kocht het landhuis om hier rustig met pensioen te gaan: "We kochten het huis zonder het echt gezien te hebben: alles was overwoekerd, het was een ruïne en de meeste kamers waren gewoon ontoegankelijk.

Maxburg, Maxburgdreef 37, 2231 Hoogstraten (Meer)
+32 (0)3 315 05 03, info@maxburg.be, www.maxburg.be
135 euro per nacht per kamer, inclusief ontbijt.

Toen we het grote salon zagen, waren we meteen gewonnen, maar hadden we geweten wat ons te wachten stond, dan hadden we het misschien nooit gekocht". Hij deed er bijna tien jaar over om het kasteel minutieus te restaureren en zo veel mogelijk terug te brengen in zijn oorspronkelijke staat. Kennissen brachten hem op het idee om het huis open te stellen als logeeradres.

Vandaag schittert *Maxburg* weer: op de benedenverdieping bevinden zich de stijlvolle salons, waarvan een als ontbijtzaal en een andere als muzieksalon dient. Er is voldoende ruimte om bedrijven hier kleine vergaderingen te laten organiseren. Via een monumentale trap kom je op de verdiepingen, waar de ruime kamers klassiek ingericht zijn, maar uitgerust met alle comfort. De badkamers zijn functioneel.

Maxburg ligt midden in een victoriaanse tuin met oude rozensoorten en fruitbomen. Het uitgestrekte wandelpark is volledig ommuurd. De kapel maakt geen deel meer uit van het domein, maar je kunt ze wel bezoeken. Let hier op de glasramen van de heilige Rosalia en de heilige Albertus. De pastoor die de ramen liet aanbrengen, heette Albert en zijn meid Rosalie...

Deze knappe B&B ligt verscholen in de landelijke omgeving van Meer, op de grens met Nederland, en is ideaal voor wie zich een weekendje wil terugtrekken in een intieme en luxueuze omgeving.

Turnhout praktisch

ALTERNATIEVEN

Wie in het hotel in Meer overnacht, rijdt telkens over Hoogstraten en Merksplas naar Turnhout (wandelingen 1 en 3) of naar Vosselaar/Beerse (wandeling 2) (25 km).

BEOORDELING

De wandelingen verlopen in een vlak landschap. Behalve in de binnenstad van Turnhout komen er nauwelijks asfaltwegen voor. Meestal gaat het daarbij om wegen die uitsluitend voor plaatselijk verkeer bestemd zijn. Je kunt de route in elk seizoen doen. Na droogte is het vaak lastig stappen in mul zand. In De Liereman (wandeling 3) kunnen na regenval enkele modderige passages voorkomen. Dat geldt in mindere mate voor het Grotenhoutbos (wandeling 2). In het broedseizoen van maart tot juni moet je in De Liereman een alternatief traject volgen.

HOE KOM JE ER?

MET DE TREIN Ieder uur is er een rechtstreekse verbinding vanuit Brussel over Mechelen en Lier. Vanuit Antwerpen moet je in Lier overstappen. Hotel Ter Driezen bereik je door de de Merodelei te nemen naar de Grote Markt en daar rechts de Herentalsstraat in te slaan.

MET DE AUTO Hotel Ter Driezen bereik je door de E34 te verlaten bij afrit 24-Turnhout. Via de N19 kom je op de ring rond Turnhout. Je steekt die over naar de Graatakker en die gaat over in de Herentalsstraat.

KAARTEN

NGI topografische kaart 1/25.000, nr. 8/3-4 (Wortel – Weelde), 8/7-8 (Beerse – Turnhout) en 9/5-6 (Arendonk – Postel).

INFORMATIE

- Toerisme Turnhout: 't Steentje, Grote Markt 44, 2300 Turnhout, ☏ 014 44 33 55, 📠 014 44 33 54, 💻 www.turnhout.be/toerisme, ✉ toerisme@turnhout.be.
- Toerisme Oud-Turnhout: Het Hofke van Chantraine, Kerkstraat 46, 2360 Oud-Turnhout, ☏ 014 47 94 94, 📠 014 65 25 18, 💻 www.oud-turnhout.be, ✉ toerisme@oud-turnhout.be.
- Toerisme Beerse: GC 't heilaar 35, 2340 Beerse, ☏ 014 61 07 70, 📠 014 61 73 39, 💻 www.toerismebeerse.be, ✉ ann.janssens@beerse.be.
- Toerisme Vosselaar: Gemeentehuis, Cingel 7, 2350 Vosselaar, ☏ 014 60 08 20, 📠 014 62 54 21, 💻 www.vosselaar.be, ✉ onthaal.1@vosselaar.be.
- Toeristisch samenwerkingsverband Land van Turnhout: 't Steentje, Grote Markt 44, 2300 Turnhout, ☏ 014 40 82 67, 📠 014 42 80 36, 💻 www.landvanturnhout.be, ✉ stijn.marinus@tpa.be.
- Bezoekerscentrum Landschap De Liereman: Schuurhovenberg 43, 2360 Oud-Turnhout, ☏ 014 42 99 66, 📠 014 42 99 03, 💻 http://users.pandora.be/tikkebroeken/Natuurpunt/bezoekerscentrum.htm, ✉ bc.delieremann@natuurpunt.be, open ma.-vr. 13.00-17.00 u, za.-zo. vanaf 11.00 u.

HEIDE EN BOSSEN

In de middeleeuwen kapten de Kempense boeren de bossen om de vrijgekomen zandbodem te bewerken. De arme grond raakte echter zeer snel uitgeput en er werd uitgekeken naar vruchtbaarder gronden. De verlaten akkers transformeerden spontaan in heidevlakten. De den, die goed gedijt op droge zandgronden deed er zijn intrede. Dat wijzigde het aanzicht van de Kempen drastisch maar de bosbouw was winstgevend. De grootste groei kwam er in het begin van de 20ste eeuw, met de toenemende vraag naar mijnhout om de mijnen te stutten. De bosbouw kon de Kempense keuterboer dan wel wat soelaas bieden, de heide bleef voor hem toch het belangrijkste. Ze leverde hem turf voor de verwarming en met de as kon hij de schrale akkers bemesten. Deze landbouwvorm voldeed echter niet aan de noden van de hele bevolking en toen in de 20ste_eeuw meststoffen aangevoerd werden via de Kempense kanalen, werden de oorspronkelijke heide en vennen beetje bij beetje teruggedrongen. Gelukkig behoeden verschillende natuurprojecten, de laatste restjes heide voor definitieve verdwijning.

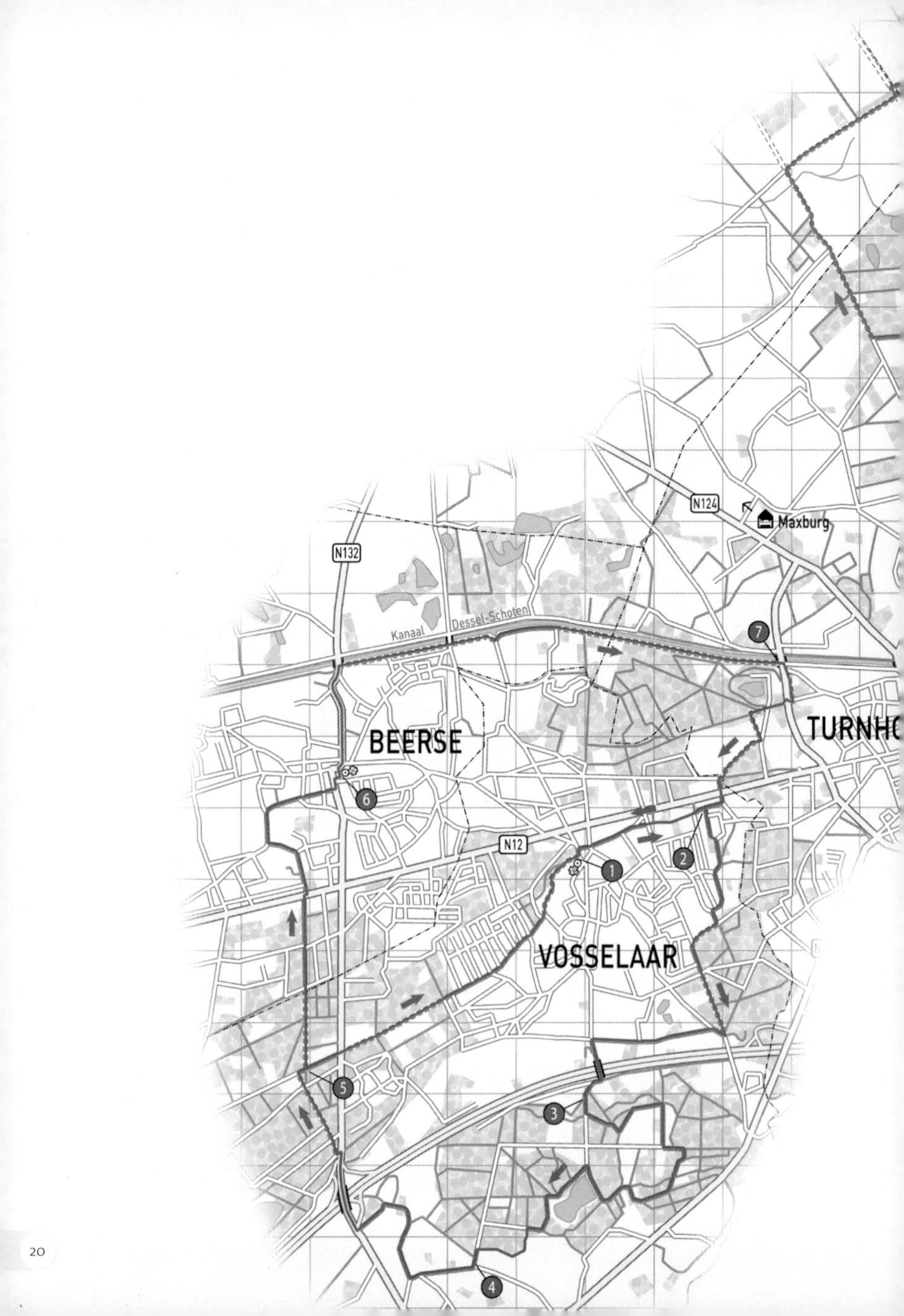
N124
Maxburg
N132
Kanaal
Dessel-Schoten
7
BEERSE
TURNHO
6
N12
1
2
VOSSELAAR
5
3
4

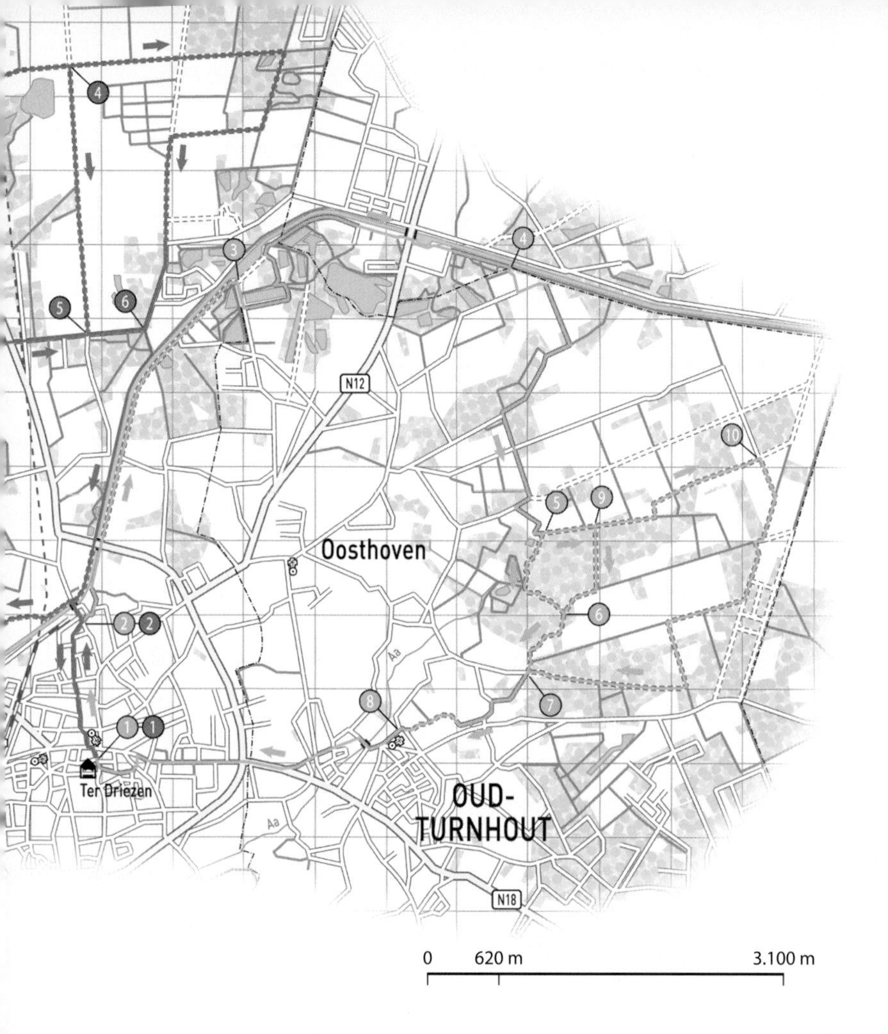
N12
Oosthoven
Aa
Ter Driezen
OUD-
TURNHOUT
N18
0
620 m
3.100 m

1. Naar het Turnhouts Vennengebied

OPEN LANDSCHAPPEN

Ten noorden van Turnhout strekt zich een grote ontgonnen vlakte uit tot aan de Nederlandse grens. De zandige bodem geeft er akkers en weilanden. Hier en daar blijft nog een stukje van de vroegere heide over, waar de grutto's kwetterend om je oren vliegen. De heidevennen van de Klotteraard en het Zwart Water behoren tot de mooiste van de Noorderkempen. Langs het Kanaal Dessel-Schoten wandel je langs statige bomenrijen terug naar het centrum. Wie de uitgebreide wandeling verkiest, krijgt een welkome afwisseling door de lommerrijke bossen van de Ravelse Bergen.

AFSTAND 16,1 km, inkorting 10,1 km, uitbreiding 18,3 km (rood).
VERTREK Hotel Ter Driezen
AARD VAN DE WEG Aarde-, zand- en grindwegen en verkeersarme asfaltwegen.
TOEGANKELIJKHEID Mogelijk voor buggy's en rolstoelen behalve na grote droogte (mul zand) en hevige regenval.
ALTERNATIEVEN Je kunt de wandeling ook beginnen en eindigen aan **[2]** (2 x 1,2 km korter).
ETEN & DRINKEN

- Taverne 't Zwart Water (N119 tussen **[3]** en **[4]**): Steenweg op Baarle-Hertog 40, 2300 Turnhout, 014 67 88 37, 014 68 71 03, zwart.water@telenet.be, di.-wo. gesloten, za.-zo. vanaf 12.00 u, andere dagen vanaf 16.00 u.
- Taverne-restaurant Sint-Andries (bij **[2]**): Koningin Elisabethlei 115, 2300 Turnhout, 014 72 37 90, 014 72 37 90, ma. gesloten, di. na reservatie, wo.-vr. en zo. vanaf 11.30 u, za. vanaf 17.30 u.

TURNHOUTSE BLEKERIJ

De kans is groot dat je op de Zandvenheide grutto's ziet vliegen. Je herkent ze aan hun lange, rechte snavel en aan hun geroep: 'grutto, grutto!' Onderweg kom je meerdere afgegraven akkers tegen. Dit waren vroeger zwaar bemeste maïsakkers. Het ondiepe Zwart Water is het eerste ven op je wandeling. De grachten aan weerszijden van het Bels Lijntje behoren bij de Kleine Klotteraard. Bij [4] krijg je uitzicht over de grootste heideplas, de Grote Klotteraard.

1 → 2 Met de rug naar **Hotel Ter Driezen [1]** volg je de Herentalsstraat naar links. Je steekt de Grote Markt schuin links over en langs het stadhuis bereik je het Zegeplein. Je gaat schuin rechts naar de Begijnenstraat. Na 50 m is er een doorkijk naar het kasteel van de Hertogen van Brabant. De Begijnenstraat gaat over in de Oude Vaartstraat.

2 → 3 Op het einde van de **Oude Vaartstraat [2]** sla je links af naar de ophaalbrug. Voorbij de brug neem je de even verderop gelegen grindweg (Uitbreidingstraat). Wat verder buigt die van het kanaal weg, je negeert het fietspad en je vervolgt de verharde aardeweg. Aan het kruispunt ga je naar rechts. Zowel aan het Veldekenshof als aan de Blijkhoeve, houd je rechtdoor aan. De Elzenstraat leidt je langs het kasteel van de Turnhoutse Blekerij. Je houdt rechtdoor aan, negeert een betonweg en je duikt een bos in. Waar je het bos verlaat, sla je links een zandige bosweg in. Na 200 m sla je haaks rechts af. De bosweg gaat over in een grazige aardeweg tussen de velden naar een **asfaltweg bij de bosrand [3]**. Hier gaat de verkorting naar rechts terwijl het gewone traject de asfaltweg naar links volgt. Op het einde sla je rechts de brede bosweg in, richting fietsknooppunt 07.

3 → 4 Voorbij het bos kom je op de open Zandvenheide. Je negeert de afslag naar de Bosstraat en in de lichte bochten ligt rechts van de weg een afgegraven maïsveld. De rode grindweg (Geheulsedijk) brengt je aan een viersprong met de Marckstraat. Je kiest er de grindweg naar rechts. Op het einde bereik je de heidestrook rond het Zwart Water. Je neemt heel even de zandige aardeweg naar links om na 100 m weer rechts verder door mul zand te ploeteren. Voor je rechts afslaat ligt links een eerder afgegraven veld. Je wandelt verder langs de bosgordel die doorkijk verleent naar het ven. Je stevent af op een drukke weg die je 100 m naar rechts volgt, om daar een gelige grindweg links in te slaan. Je steekt het Bels Lijntje over en je kijkt uit over de Grote Klotteraard. Zo bereik je een **viersprong van zandwegen op de Zwarte Heide [4]**.

4 → 1 Hier gaat de uitbreiding rechtdoor, maar het gewone traject gaat rechts. Aan je rechterhand zie je de Grote Klotteraard. Waar de Watertappingsstraat uitkomt op de **Dombergstraat [5]** sla je links af. De verkorting komt hier van rechts. Als die Dombergstraat met een haakse bocht overgaat in de **Rodenhuisstraat [6]** komt de uitbreiding van links en neem je de aardeweg schuin rechts langs de beboste Dombergheide. Aan het kanaal volg je het geasfalteerde jaagpad naar rechts. Je gaat aan de passerelle rechtdoor. Wat verder doe je dat ook aan de ringweg en bereik je de haven van Turnhout. Aan de ophaalbrug ga je links de brug over tot de afslag van de **Oude Vaartstraat [2]**.

BELS LIJNTJE

Voorbij het kanaal bereik je een eerste maal het fietspad op de opgegeven spoorlijn, het Bels Lijntje. In 1868 ontstond de treinverbinding Turnhout-Tilburg. Bij de aanleg van de spoorlijn waren de ambities groot, maar de lijn kon haar internationale roeping nooit waarmaken. Het personenvervoer werd in 1934 opgeheven en in 1973 reed de laatste goederentrein.

Langs dezelfde weg als in het heengaan, keer je terug: de straat gaat over in de Begijnenstraat, aan het Zegeplein vervolg je links naar de Grote Markt die je oversteekt, om halverwege de overzijde de Herentalsstraat te nemen naar **Hotel Ter Driezen [1]**.

VERKORTING

3 6

Waar je op de **asfaltweg [3]** komt, volg je die naar rechts. Je steekt achtereenvolgens de drukke N119 en het Bels Lijntje over. Aan het kruispunt met de **Watertappingstraat [5]** wandel je rechtdoor. Als de Dombergstraat met een haakse bocht overgaat in de **Rodenhuisstraat [6]** volg je de aardeweg rechts langs de bosrand.

UITBREIDING

4 6

Aan het kruispunt op de **Zwarte Heide [4]** stap je rechtdoor. Ook aan de volgende viersprong doe je dat. 500 m verder duik je de Ravelse Bergen in en nog eens die afstand verder voorbij een ven, ga je aan de viersprong in het zicht van huizen rechts. Achter de tuinen van villa's gaat het steeds rechtdoor. Je verlaat het bos en je stapt rechtdoor langs de bosrand. 200 m verder buig je dan met de bosrand naar rechts en de zandige aardeweg eindigt 800 m verder aan een boomkwekerij. Je gaat er links de grindweg op. Links zie je de schoorsteen van een voormalige pannenfabriek. Aan een camping gaat het grind over in asfalt en waar de Rodenhuisstraat met een haakse bocht overgaat in de **Dombergstraat [6]** eindigt de uitbreiding en neem je de aardeweg schuin links.

2. Beerse en Vosselaar

GESLOTEN LANDSCHAPPEN

Deze wandeling voert je langs de mooiste plekjes van twee woongemeenten aan de rand van Turnhout. Het traject voert je door enkele fraaie bouwverkavelingen, voor je het Grotenhoutbos verkent. Eenmaal terug over de E34 kom je in een totaal ander bos terecht. Op de zandige ondergrond gedijen hier enkel dennen. Op het einde wandel je langs een landduin. Wie de uitbreiding volgt, maakt ook kennis met Beerse en het Kanaal Dessel-Schoten. Genoeg voor uren wandelplezier, in steeds wisselende landschappen.

AFSTAND 16,8 km, uitbreiding 25,1 km (paars).
VERTREK Kerk van Vosselaar
AARD VAN DE WEG Aarde- en boswegen en verkeersarme asfaltwegen.
TOEGANKELIJKHEID Onmogelijk voor buggy's en rolstoelen; modderig na regenval in het Grotenhoutbos; honden aan de leiband in het Grotenhoutbos en de Zwartgoorheide.
ALTERNATIEVEN Wie de uitbreiding net iets te lang vindt, start best aan de kerk van Beerse **[6]** om zo tweemaal het traject **[1]**-**[2]** te mijden (22,6 km).
ETEN & DRINKEN

- Taverne Het Laar (juist voor autowegbrug tussen **[4]** en **[5]**): Beersebaan 134, 2275 Gierle, ma.-di. gesloten, wo.-vr. en zo. vanaf 11.00 u, za. Vanaf 16.00 u.
- Meerdere gelegenheden aan de kerk van Vosselaar **[1]** en die van Beerse **[6]**.

VOSSELAAR

Het achtervoegsel laar verwijst naar een open plek in het bos. Net als de Vrijheid Turnhout en het Grotenhoutbos, behoorde Vosselaar toe aan de Hertogen van Brabant. Het noorden van de gemeente heeft een kleïige ondergrond, het zuidelijk deel, het Grotenhoutbos, is lemig. Tussenin ligt achter de kerk de beschermde landduin van de Konijnenberg. Je passeert er op het einde van de wandeling.

BEERSE

Net zoals Vosselaar is Beerse een woongemeente. Beerse wordt vaak in een woord uitgesproken met Janssen Pharmaceutica. In 1187 stond de gemeente gekend als Berse, afgeleid van bar. Dat verwees naar de weinig begroeide en woeste heidevlakten van weleer. Toen in 1865 het Kanaal Dessel-Schoten gegraven werd, stootte men in de ondergrond op interessante kleilagen en op korte tijd werden een tiental steenbakkerijen opgericht.

DE WANDELTOCHT

1 – 2 Met de rug naar de **kerk van Vosselaar [1]** ga je het plein af naar de punt toe en je wandelt rechtdoor de klinkerweg op. Je negeert de Lindenlaan maar aan huisnummer 92 ga je wel schuin rechts over in Bergeneinde. Je steekt een asfaltweg over naar het doodlopende Galgeneindsepad. Weldra wandel je tussen villa's. De eerste afslag rechts negeer je, maar de tweede naar de **Fazantenlaan [2]** kies je wel.

2 – 3 Na een knik gaat die rechts verder als doodlopende weg. Op het einde is een klinkerpad dat in de volgende straat uitkomt. Hier ga je rechts en bij de T-sprong vervolg je links in de Wulpenlaan. Waar die in de Canadalaan is overgegaan, neem je links de grindweg. Onder de hoogspanningsleiding buigt een dolomietpad naar rechts langs de bosrand. Je gaat schuin links de rijweg op en op het einde steek je het kruispunt over naar een bosweg. Eenmaal uit het bos sla je de betonweg scherp rechts in om 100 m verder de Breemsedijk te ruilen voor de asfaltdreef links (Boskant). Je negeert de afslag van de Regtenboom en aan de viersprong neem je de brede asfaltweg richting autoweg. Voorbij de brug ga je rechts en onmiddellijk links naar fietsknooppunt 74. Aan de slagboom **betreed je het Grotenhoutbos [3]** en vervolg je de hoofdgrindweg.

3 – 4 200 m verder bij een kruising neem je links een breed bospad (geel). Aan een rustbank ga je rechts verder over een grasweg en aan de grote open weideplek, vervolg je naar links. 500 m verder ga je bij een viersprong haaks rechts. Op het einde kies je de grove grindweg naar links en aan de oprit naar de cottage ga je over het parallelle pad.

150 m verder buigt het haaks naar rechts. Weldra wandel je aan de bosrand en op het einde sla je de brede bosdreef rechts in. Die buigt rechts mee en nog geen 200 m verder gaat het bewegwijzerde pad naar links. Waar je zicht krijgt op een grote plas draai je rechts af (blauw). Je passeert de vijver en 150 m voorbij het uiteinde sla je scherp links af (blauw). 70 m voorbij een bocht ga je links een graspad op. Aan de afvoer van het ven buig je rechts af. Op het einde komt geel links bij en samen met blauw ga je rechts verder. De aardeweg komt uit op een vergrindde bosweg die je links volgt naar **'uitgang Schoorstraat' van het Grotenhoutbos [4]**.

4 5

Voorbij het bos bereik je een asfaltweg die je rechts volgt. Je negeert Lozijde maar aan de kapel ga je rechts Het Laar in. Bij huisnummer 4 wandel je links verder op een asfaltweg. Op het einde bij de taverne volg je de grote weg naar rechts en je steekt de autoweg over. Wanneer je alle op- en afritten en zijstraten gepasseerd bent en de kaarsrechte weg begint, ga je even links om direct rechts een brede zandweg door het bos te nemen. Je wandelt steeds rechtdoor tot bij een T-sprong. Je volgt de asfaltweg naar rechts en 100 m verder is er links een **grindweg [5]**. Over die grindweg start de uitbreiding. Het gewone traject gaat rechtdoor verder.

5 1

300 m verder steek je de grote weg naar de autoweg over en je vervolgt over een zandige weg met fietsstrook. Je houdt steeds rechtdoor aan, dwars door het domein Zwartgoorheide. Ook als je een woonwijk bereikt, stap je rechtdoor en je negeert de vele zijstraten. Waar de klinkers van het Renier Sniederspad plots haaks rechts afbuigen, stap je rechtdoor over een dolomietpad. Het leidt je langs de landduin van de Konijnenberg naar voetbalvelden. Ter hoogte van het tweede veld sla je links een aardeweg in langs tuintjes naar een huis. Aan de Konijnenberg buigt die weg rechts af en wordt dolomiet. Steeds rechtdoor aanhoudend, kom je aan de **kerk van Vosselaar [1]**. Het blijkt nog steeds het Sniederspad te zijn. Je gaat rond de kerk om weer het driehoekige voorplein te bereiken.

UITBREIDING

5 6

Aan de **afslag [5]** verlaat je de asfaltweg voor de grindweg links. Je houdt steeds rechtdoor aan, ook als je uit het bos bent. De Dageraadlaan leidt je naar de Antwerpse Steenweg. Je gaat er rechts en je slaat onmiddellijk links de Egelspoelstraat in. Op het einde van de straat ga je rechts verder. Na een haakse bocht blijf je rechtdoor wandelen tot op een T-sprong. Hier volg je de grote weg links naar de **kerk van Beerse [6]**.

6 – 7 Je wandelt het kerkplein over en je houdt de kerk aan je rechterkant. Zo ga je over het Gemeenteplein de straat met tegenverkeer in. Je wandelt die weg af tot aan het kanaal. Juist voor de ophaalbrug sla je rechts het vergrinde jaagpad op. 1 km verder bereik je opnieuw een ophaalbrug. Je steekt er de weg maar niet de brug over naar het verlengde van het jaagpad. Weer 300 m verder bereik je een weg bij een zwaaikom, waar de schepen kunnen keren. Je vervolgt er de asfaltweg langs het kanaal. Waar de weg ophoudt, wandel je gewoon langs het kanaal verder naar de volgende brug over het kanaal. Je gaat onder de **brug van de Turnhoutse ring [7]** door en verlaat het jaagpad voor de asfaltweg.

7 – 1 50 m verder verlaat je ook die voor een aardepad onderaan de berm van de ringweg. Je houdt dit pad aan tot een tunnel onder de ring. Je neemt de tunnel en je volgt het fietspad, dat weldra de ring de rug toekeert. Je negeert de kasteeldreef en ook iets verder de afrit schuin rechts, maar 50 m verder sla je wel haaks links een aardepad in. Na 250 m bereik je een vijfsprong waar je steeds rechts blijft naar een aardepad langs de bosrand. Op het einde ga je even rechts om links de Weigang in te slaan. Je steekt voorzichtig de Antwerpse Steenweg over naar een klinkerweg. Bij de eerste afslag ga je rechts een betonweg op. De eerste afslag is de **Fazantenlaan [2]**. Je gaat rechtdoor, tenzij je in Beerse startte. Als je steeds rechtdoor blijft gaan, bereik je over dezelfde weg als deze morgen, het driehoekige voorplein bij de **kerk van Vosselaar [1]**.

3. De Liereman

BESCHERMDE LANDSCHAPPEN

Deze wandeling laat je kennismaken met verschillende landschapsvormen van vroeger. Heide en bossen, landduinen, vennen en moerassen, akkers, hooilanden en weiden getuigen van verschillende ontginningsperioden. Sommige delen zijn in cultuur gebracht, anderen worden beschermd en behoed tegen verdwijning. De mooiste delen tref je aan in het natuurreservaat De Liereman.

AFSTAND 17,6 km (tijdens broedseizoen 18,1 km), uitbreiding 22,1 km (oranje).
VERTREK Hotel Ter Driezen
AARD VAN DE WEG Aarde- en grindwegen en verkeersarme asfaltwegen; stroken met mul zand op de uitbreiding.
TOEGANKELIJKHEID Onmogelijk voor buggy's en rolstoelen; hier en daar dienen honden aan de leiband, in De Liereman (**[5]**-**[6]** en **[9]**-**[6]**) zijn ze zelfs niet toegelaten (wel op de uitbreiding).
ETEN & DRINKEN

- Brasserie-restaurant-feestzaal Burcht Hertog Jan (bij **[4]**): De Laks 8, 2360 Oud-Turnhout, ☏ 014 41 63 05, fax 014 41 63 05, ✉ burchthertogjan@skynet.be, www.burchthertogjan.be, open dag. vanaf 11.00 u, sept-Pasen di.-wo. gesloten.
- Cafetaria Bezoekerscentrum Landschap De Liereman: Schuurhovenberg 43, 2360 Oud-Turnhout, ☏ 014 42 99 66, fax 014 42 99 03, http://users.pandora.be/tikkebroeken/Natuurpunt/bezoekerscentrum.htm, ✉ bc.deliereman@natuurpunt.be, open ma.-vr. 13.00-17.00 u, za.-zo. vanaf 11.00 u.

DE WANDELTOCHT

1 – 3 Aan **Hotel Ter Driezen [1]** volg je dezelfde weg als bij wandeling 1 tot het einde van de **Oude Vaartstraat [2]**. Je steekt er over naar het Havengebied. Je draait rond de zwaaikom en over grind gaat het verder langs het kanaal. Tot **[3]** blijf je de kanaaloever volgen. Voorbij de ringbrug vernauwt de grindweg zich tot een pad. Je negeert een passerelle en 250 m verder gaat het pad plots een talud op. Je blijft het ka-

naal volgen nu over een graspad. Nogmaals verlaat het pad de oever. Weerom zoek je het aardepad langs het kanaal. 100 m verder ligt rechts een ven verscholen in het bos. Voorbij een huis wandel je onder een afdak van een oude loskaai.

3 4

Aan de **zwaaikom [3]** volg je onmiddellijk de asfaltweg rechts. Na 200 m kies je links een aardeweg naar een visvijver. Voorbij de kantine volg je de vijver over een aardepad langs een afsluiting. Halverwege de andere oever zoek je rechts een bospad. Spoorrails leiden naar de schoorsteen van een oude steenbakkerij. Je passeert rechts van de schoorsteen, het pad draait naar rechts en mondt uit op een grindweg die je links volgt. Aan de zwaaikom ga je rechts en over een brede grindweg gaat het onder de brug van de weg Turnhout-Ravels. 1 km verderop kom je aan een **veer [4]**.

4 5

Je gaat er rechts en je houdt de brasserie aan je rechterkant op weg naar de straat. Die ga je links op (aardeweg). Terug aan de kanaalbegeleidende bosgordel, vervolg je haaks rechts over de zandweg. Op de T-sprong kies je rechts en 850 m verder, in het bos voorbij een rechtse bocht sla je links een andere verharde zandweg in. Je dwarst een betonweg en op het einde ga je rechts. 150 m verder volg je scherp links een grazige aardeweg onder de eerste bomenrij. Bij het infobord van De Liereman ga je rechts. Een haakse bocht verder bereik je een **afslag op een vlonderpad [5]**.

5 6

Hier gaat de uitbreiding rechtdoor. Als het broedseizoen is, moet je ook deze weg kiezen. Het gewone traject gaat rechts. Voorbij de tweede vlonderstrook steek je een beek over en kom je terecht in een droger gebied met hogere bomen. Een bocht brengt je bij een gebouw met een prachtig houten balkon. Hier buigt het pad links af en duik je een drassig gebied in. Aan de overkant van een beek loop je in een ruig, maar vrij open landschap. De uitkijktoren links en de mast rechts zijn je bakens. Je **verlaat het vochtige deel van de Liereman [6]** bij een T-sprong en je stapt rechts verder.

6 7 8

Wie wil genieten van een mooi uitzicht, wandelt eerst 150 m naar links. Daar nodigt een kort knuppelpad je uit naar een vogelkijkhut. Je keert op je stappen terug en je vervolgt de zandweg. Een gemengd bos afgewisseld met akkers, leidt je langs een infobord, waar je links aanhoudt naar een dennenbos toe. Daar blijf je rechtdoor wandelen naar het **bezoekerscentrum [7]**. Je gaat rechtdoor een vergrindde aardeweg op. Voorbij de mast sla je links een betonweg in. Aan een driehoekig kruispunt met picknicktafels onder lindebomen volg je het asfaltweggetje schuin rechts. Dat gaat over in een aardeweg. Op het einde volg je de klinkerweg naar rechts.

8 1 Aan de **kerk van Oud-Turnhout [8]** wandel je rechtdoor om tegenover huisnummer 57 rechts de Albert Sohiestraat in te slaan. Voorbij de Aa kies je voor huisnummer 5 links een verhard pad. In de woonwijk ga je rechtdoor, je draait achter drie garages naar rechts om onmiddellijk links een pad tussen sierhagen te nemen. Aan de rijweg ga je rechtdoor de Kleine Vondelweg op. Je steekt een betonweg over naar Nadorst en op het einde ga je schuin rechts de grote weg op. Voorbij de ringweg steven je af op het centrum van Turnhout. Na 900 m, voorbij huisnummer 106 neem je links het Notensgangske. Op het einde ga je rechts de Kwakkelstraat in, om dan links de Korte Veldstraat te kiezen. Tegenover huisnummer 9 vervolg je rechts in de Veldstraat. Aan speeltuin Muylenberg passeer je het Nationaal Museum van de Speelkaart op weg naar de Sint-Jozefstraat. In de Herentalsstraat moet je naar rechts naar **Hotel Ter Driezen [1]**.

BROEDSEIZOEN (15/3 - 15/6)

5 6 Aan het **vlonderkruispunt [5]** ga je rechtdoor (rood en bruin). Je negeert 400 m verder de afslag links en juist voor **gasleidingpaal 116A [9]** kies je het pad rechts (rood). 600 m verder eindigt dat op een brede zandweg, die je rechts opgaat langs gasleidingbord 117. Wat verder wenkt een vlonderpad je naar een uitkijktoren. Je vervolgt de zandweg en 150 m verder komt het **traject buiten het broedseizoen [6]** van rechts. Je gaat rechtdoor verder.

UITBREIDING

5 10 Aan het **vlonderkruispunt [5]** ga je rechtdoor (rood en bruin). Je negeert 400 m verder de linkse afslag en aan **gasleidingpaal 116A [9]** ga je rechtdoor (bruin). Na twee haakse bochten wandel je steeds rechtdoor tot een viersprong bij een hoeve. In de nis boven de voordeur staat een **Mariabeeldje [10]**.

10 7 Je gaat rechts en 350 m verder buig je aan de T-sprong rechts mee. Op de volgende T-sprong wandel je even rechts om onmiddellijk links verder te gaan. Na 500 m in een naaldbos kies je schuin rechts een zandweg naar de Hoge Mierdse Heide. Bij het infobord over rugstreeppadden moet je links verder over mul zand van beboste duinen. Aan het fietsroutenetwerk volg je rechts de brede zandweg tot het **bezoekerscentrum [7]**. Voorbij het gebouw komt het gewone traject van rechts en je slaat de aardeweg links in.

2. Grobbendonk

EEN LAND VAN WATER

Felix Timmermans beschreef vaak de benedenvallei van de Kleine Nete en de Aa. Hij vertoefde graag in het vlakke, afwisselende landschap van vochtige weiden en uitgestrekte bossen met her en der nog heiderestjes. Je kunt zelf de prachtige streek verkennen vanuit Grobbendonk, het centrum van de diamantnijverheid. In het plaatselijke diamantmuseum leer je er alles over. In de buurt vind je ook het Albertkanaal, het Netekanaal en de Kleine Nete. Samen met de waterwinninggebieden van Pidpa en het bezoekerscentrum Hidrodoe, kun je wel zeggen dat bijna alles hier om water draait.

'Waar de drie kronkelende Nethen een knoop leggen', aldus Felix Timmermans

EN BOSSEN

Onze logiestips: In **Hotel 't Hemelryck** komen er net geen gouden lepeltjes aan te pas, maar voor de rest waan je je bijna in de hemel. De zeven muzen in de zeven kamers nodigen je uit tot platte rust na een flinke wandeling. Domein **Het Puij** gaat voor een gemoedelijke sfeer. Voor een zeer schappelijke prijs kan je hier in comfortabele bedden overnachten. Iko en Marc verzorgen ook tochtjes met paard en koets voor de gasten.

Onze wandeltips: Het rivierenland tussen Grobbendonk en Nijlen heeft zijn naam niet gestolen. Alles staat in het teken van het water, met het Albertkanaal, het Netekanaal en de Kleine Nete op de voorgrond tijdens de eerste wandeling. De tweede wandeling stuurt je dwars door Pulderbos, een deelgemeente van Zandhoven met een lange geschiedenis. In de oude molen op je weg is een klein museum ondergebracht. De derde wandeling gaat door het gebied waar Felix Timmermans zo graag kwam. Waarom? Dat moet je zelf ontdekken.

Rijstepap in de hemel

HOTEL 'T HEMELRYCK

Carmen Vervynck en Johan Verhaegen hebben al door heel wat watertjes gezwommen. Ze leerden elkaar kennen op de Eurostar tussen Brussel en Londen. Ze werkten er voor de catering. Na jaren pendelen tussen de twee hoofdsteden hebben ze sinds enkele maanden hun eigen charmehotel in de Antwerpse Kempen. Na de ervaringen in de trein kon Johan zijn Gentse vriendin overtuigen om samen een restaurant te beginnen in zijn geboorteplaats Grobbendonk, vlak bij Herentals.

Omdat de zaken goed gingen en steeds meer mensen vroegen naar een logeeradres in de streek, kregen ze het idee hun eigen huis aan de rand van Grobbendonk te verbouwen tot hotel-restaurant. De plannen van het huis, dat oorspronkelijk als privéwoning bedoeld was, werden grondig herwerkt.

Hotel 't Hemelryck, Floris Primsstraat 50, 2280 Grobbendonk
+32 (0)14 51 81 19, info@themelryck.be, www.themelryck.be
vanaf 110 euro per nacht per kamer, ontbijt inbegrepen. Speciale arrangementen tijdens de weekends.

Het paar houdt van de gezellige Engelse landelijke stijl en het was hun bedoeling hun hotelletje in die stijl in te richten. Ze vonden een ideale partner in decoratrice Tilly Cambré, die de kamers en het restaurant aankleedde en erin slaagde van het huis een echt landelijk charmehotel te maken.

Zorgvuldig uitgekozen meubilair en accessoires zoals oude reiskoffers zorgen voor de persoonlijke noot.

't Hemelryck telt slechts zeven kamers, maar ze werden ontworpen met veel aandacht voor detail om het de gasten zo gezellig mogelijk te maken. De ruime kamers hebben geen nummers, maar dragen de naam van muzen: *la Célèbre, l'Aimable, la Céleste, la Belle Voix, la Florissante, la Danse* en *la Charmante*. Zorgvuldig uitgekozen meubilair en accessoires zoals oude reiskoffers zorgen voor de persoonlijke noot. De comfortabele grote bedden, soms met een hemel, zijn met kleurrijke plaids bekleed. De warme kleuren creëren een rustgevende sfeer. De badkamers, met regendouche, zien er met hun combinatie van tegeltjes en hout retro uit. Toch beschikken alle kamers over de modernste voorzieningen, zoals minibar, tv, dvd-speler, safe en draadloos internet.

Op de gelijkvloerse verdieping worden de gasten verwelkomd in een kleine Engelse bar en een sfeervol niet-rokersrestaurant. Carmen zwaait de scepter in de keuken, waar ze fantasie en vakmanschap combineert met verse ingrediënten. De kaart is klassiek. Een sommelier begeleidt de gasten naar de wijnkelder om daar een fles te helpen kiezen. Carmen en Johan slagen er dus in hun gasten ook gastronomisch te verwennen.

Aan het einde van elk diner mag je een portie rijstepap verwachten. Je bent hier immers in *'t Hemelryck*.

Dromen worden waar

B&B HET PUIJ

Toen hun kinderen het huis uit gingen en de stress van het beroepsleven zwaar begon te wegen, gingen Marc en Iko Van Puijenbroek op zoek naar een nieuwe uitdaging. Ze kozen voor een nieuw leven in de rustige bossen van Kasterlee. Voor Marc was Kasterlee geen onbekende; hij is afkomstig uit Tilburg, net over de grens in Nederland. Iko werd geboren in Bloemendaal bij Amsterdam; voor haar waren de Kempen dus een ware ontdekking. "Veel rust, veel groen en vriendelijke mensen", vindt ze.

"Het is een gezellige, leuke bezigheid," vindt Marc, "waarbij je steeds weer nieuwe, sympathieke gasten ontmoet".

Vier jaar geleden kochten ze in Kasterlee een moderne woning, die in 1960 gebouwd werd voor een rechter. Marc en Iko vielen niet alleen voor de stijl van het huis, maar ook voor de grote voor- en achtertuin. Het idee om met een bed & breakfast te beginnen kregen ze pas daarna. Marc ontdekte vrij snel het toeristische potentieel van de streek en begon met verbouwingen om drie gastenkamers met eigen badkamer te kunnen inrichten. Nu ze al enkele seizoenen als gastheer en -vrouw achter de rug hebben, hebben ze van die beslissing nog geen moment spijt van gehad. "Het is een gezellige, leuke bezigheid," vindt Marc, "waarbij je steeds weer nieuwe, sympathieke gasten ontmoet". De nieuwe activiteit valt zelfs zo goed mee dat hij zijn andere beroepsbezigheden volledig afbouwt. Dat is ook nodig, want hij zorgt 's morgens vroeg voor een uitgebreid ontbijt met verse broodjes, een eitje, vers geperst sinaasappelsap en een niet te overziene rij fijne vleeswaren, kaas en confituren. Op verzoek zorgt Marc 's avonds ook voor een heerlijk diner. 's Winters wordt dat in de gezellige woonkamer met open haard opgediend. Zodra het weer het toelaat, wordt er in de tuin gegeten.

B&B Domein Het Puij, Steenweg op Diest 101, 2300 Turnhout (Kasterlee)
+32 (0)14 44 07 44, info@hetpyjidomein.be, www.hetpyjidomein.be
60 euro per kamer inclusief ontbijt, avondmaal: 15,25 euro per persoon.

Domein Het Puij heeft drie hedendaagse kamers, waarvan twee op de eerste etage gelegen zijn. Elke kamer beschikt over een eigen badkamer met vloerverwarming en badjassen. De grote comfortabele bedden zijn individueel elektrisch verstelbaar, wat vooral door fietsers en wandelaars gewaardeerd wordt na een stevige tocht door de bossen en de weilanden in de omgeving.

In de grote tuin vind je her en der zithoeken en een pad leidt naar de weide waar paarden aan hun trekken komen. Met hun eigen paarden en koets verzorgen Iko en Marc voor gasten trouwens tochtjes in de omgeving; ze geven ook graag advies over de vele fiets- en wandelroutes. Wie het liever rustiger aan doet, volgt de autoroute langs de abdijen van Postel, Averbode en Tongerlo. Wel eerst een bob kiezen.

Grobbendonk praktisch

ALTERNATIEVEN

Wie in B&B Het Puij overnacht, rijdt telkens over Kasterlee, Lichtaart, Poederlee en Vorselaar naar Grobbendonk (24 km).

BEOORDELING

Behalve grote delen van wandeling 1 stap je vooral door een gesloten landschap van bossen en velden. Onverharde boswegen en asfaltstroken maken de hoofdmoot van de wegen uit. Enkele noodzakelijke drukkere punten, zoals het oversteken van het Albertkanaal, moet je er wel bijnemen. De wandelingen kun je doen in elk seizoen.

HOE KOM JE ER?

MET DE TREIN Het dichtstbijzijnde station is dat van Bouwel op de lijn Antwerpen-Lier-Herentals. Vandaar is het 3 km tot het centrum van Grobbendonk en 4 km tot hotel 't Hemelryck. Daarom is de wagen aan te raden voor deze bestemming.

MET DE AUTO Grobbendonk bereik je door op de E313 afrit 20 Herentals-West te nemen. Volg er verder de N13 richting Nijlen en Lier, tot je 1 km verder rechts naar Grobbendonk kunt. Voor Hotel 't Hemelryck rijd je aan de kerk rechtdoor, richting Zandhoven. Na 1200 m sla je scherp rechts de Floris Primsstraat in. De oprit naar het hotel bevindt zich onmiddellijk links in de straat.

KAARTEN

NGI topografische kaart 1/20.000, nr. 16/1-2 (Schilde - Zandhoven), 16/3-4 (Lille – Kasterlee) en 16/5-6 (Lier – Nijlen).

INFORMATIE

- VVV Nete en Aa: Oude Steenweg 13a, 2280 Grobbendonk, ☏ 014 51 39 64 en 014 41 43 94, ☏ 014 50 05 25, www.grobbendonk.be, land-van-Nete-en-Aa@toerismevlaanderen.be, met diamantenmuseum: ☏ 014 51 43 94, ☏ 014 50 27 73, diamant.museum@skynet.be.
- Toerisme Herentals: Grote Markt 41, 2200 Herentals, ☏ 014 21 90 88, ☏ 014 22 28 56, www.herentals.be en www.toerismeherentals.be, toerisme@herentals.be.
- Hidrodoe: Haanheuvel 7, 2200 Herentals, ☏ 0800 90 300, www.hidrodoe.be, info@hidrodoe.be, open 09.30-17.00 u, wo. en za. gesloten.
- www.zandhoven.be en www.nijlen.be/cultuur toerisme.asp.

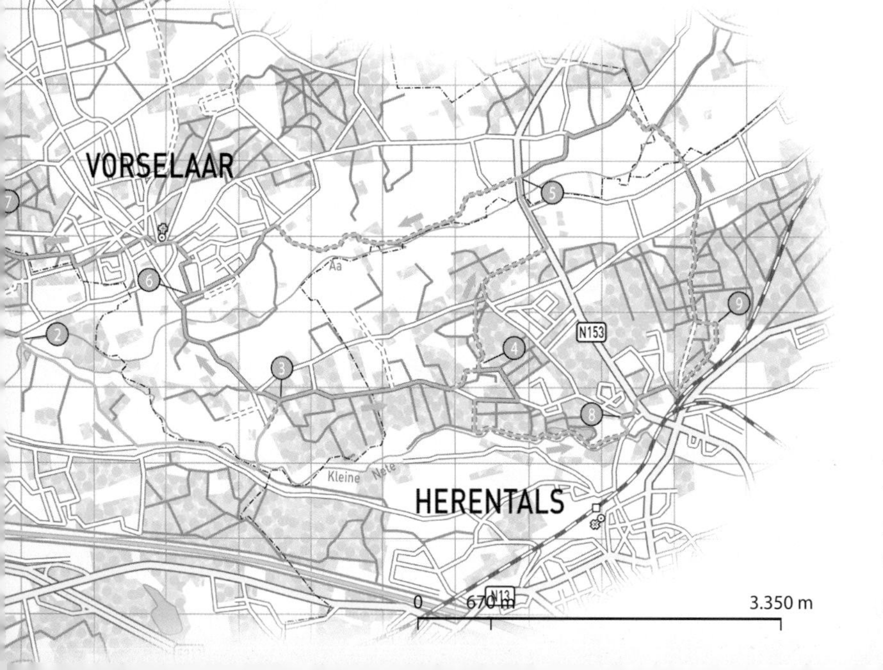

1. Nijlen

FLANEREN LANGS ALBERTKANAAL, NETEKANAAL EN KLEINE NETE

Vandaag maak je kennis met het rivierenland tussen Grobbendonk en Nijlen. Je begint op de Viersel Heide, een beboste zandige rug. Daarna staat alles in het teken van water. Het is fijn bootjes kijken langs het Albertkanaal. Met een beetje geluk zie je ze aan het sluizencomplex van het Netekanaal versast worden. Voorbij Viersel wandel je door een natuurreservaat met broekbeemden. Op de terugweg volg je de meanderende Kleine Nete. Een streepje Albertkanaal en een bezoek aan het diamantmuseum vervolledigen je wandeldag.

AFSTAND 17,6 km, uitbreiding 21,0 km (rood).
VERTREK Hotel 't Hemelryck
AARD VAN DE WEG Aarde- en grindwegen, geasfalteerde jaagpaden.
TOEGANKELIJKHEID Mogelijk voor buggy's.
ETEN & DRINKEN

- Taverne-restaurant 't Renteniershuis (tussen **[2]** en **[3]**): Dijkstraat 14, 2240 Zandhoven-Viersel, 03 464 04 33, 03 464 08 51, www.renteniershuis.be, yvleugels@renteniershuis.isabel.be, open vanaf 11.00 u, di. gesloten, okt.-febr. ook wo.
- Taverne-restaurant De Kroon (tussen **[2]** en **[3]**): Dijkstraat 12, 2240 Zandhoven-Viersel, 03 484 34 66, 03 484 66 41, dag. vanaf 10.00 u, ma. gesloten, juli-aug. dag. geopend.
- Café De Scheepvaart (tussen **[3]** en **[4]**): Watersportlaan 4, 2240 Zandhoven Viersel, 03 252 83 79.
- Café De Cruyk (bij **[7]**): Parochiestraat, 2240 Zandhoven-Viersel
- Taverne-café De Dreef (bij **[6]**): Boudewijnstraat 12a, 2280 Grobbendonk, 014 50 03 04, ma. gesloten geopend vanaf 12.00 u.
- Brasserie Cassiers (bij **[6]**): Bergstraat 2, 2280 Grobbendonk, 014 51 41 06, enkel café, met diamantgeschiedenis.
- Taverne-restaurant Ouwen (bij **[6]**): Bergstraat 6, 2280 Grobbendonk, 014 51 38 68, di. gesloten, do. vanaf 18.00 u.

DE WANDELTOCHT

1 2 Met de rug naar de oprit van **Hotel 't Hemelryck [1]** ga je rechts tot de grote weg die je rechts volgt. Waar het bos begint neem je links de Waterwinningsstraat. 100 m verderop sla je rechts de Papenbergstraat in. Op het einde ga je even rechts een zandweg op, om onmiddellijk links een andere zandweg, 't Withof, te volgen. Je wandelt de bosweg op de Viersel Heide af tot het einde en op de T-sprong ga je links verder. Je steekt de geasfalteerde Kapelletjesweg over naar de nu vergrindde Lorkendreef. Op het einde bereik je het **Albertkanaal [2]**.

2 3 Je volgt er het jaagpad naar rechts tot juist voorbij de eerste brug over het kanaal. Onderweg zie je aan de overzijde het begin van het Netekanaal met een sluizencomplex. Iets verder kun je rechts de dijk verlaten, om te verpozen in een van de twee tavernes. Aan de picknicktafel bij de brug over het Albertkanaal, neem je rechts het asfaltpad dat naar de weg over het kanaal leidt. Je steekt de brug over en **50 m voorbij de brug [3]** is er scherp links een asfaltpad. Hier begint de uitbreiding. Het gewone traject volgt het asfaltpad dat je terug op de oever van het Alberkanaal brengt.

3 4 Eenmaal beneden ga je rechts het jaagpad op. Voorbij de lift voor de speedboten wandel je verder, op een brede asfaltweg die weldra de oever van het Netekanaal volgt. Bij het sluizencomplex steek je het kanaal over en je vervolgt de asfaltweg op de andere oever naar de autowegbrug. Voorbij die brug sla je links de Vaarheuvel in richting fietsknooppunt 73. Op het einde neem je de kasseiweg naar links en die verlaat je 50 m verder voor de verharde aardeweg rechts. Je volgt de kronkelende weg en plots gaat die over in een pad dat eindigt aan een **houten brug over de Kleine Nete [4]**. Hier komt de uitbreiding van rechts.

4 5 Je steekt de Kleine Nete over en slaat links het geasfalteerde jaagpad op, dus met de Kleine Nete aan je linkerhand. Je volgt nu het jaagpad over een afstand van 3,5 km. Daar eindigt de inmiddels brede oeverweg voor een lage autowegbrug. Je gaat er samen met de Kleine Nete onderdoor en aan de andere kant neem je rechts een aardepad langs de autowegberm. Je steekt een beek over en het pad buigt links af naar een hoogspanningsmast. Je wandelt tussen de poten door en houdt rechtdoor

aan over een aardepad dat je opnieuw naar het **Albertkanaal [5]** brengt. Hier gaat de Kleine Nete onder het kanaal.

5 1 Je volgt het kanaal naar rechts over de kadeweg naar de brug in de verte. Je gaat de brug onderdoor en onmiddellijk neem je rechts het asfaltpad, dat bergop naar de rijweg over het kanaal voert. Je gaat er rechts, je blijft aan deze zijde van de rijweg en je steekt het kanaal over. 150 m voorbij de brug zoek je scherp rechts een asfaltpad dat langs de wegberm afdaalt naar de kanaaloever. Je wandelt er rechts onder de brug door. 250 m verder neem je de eerste afslag rechts richting fietsknooppunt 47. Je negeert alle afslagen en onderweg passeer je het diamantmuseum. Voorbij het doodlopende deel van de straat vervolg je schuin links over de grote weg. Je steekt de Kleine Nete over en je wandelt het centrum van Grobbendonk binnen. Aan de rotonde vervolg je rechtdoor naar de **kerk van Grobbendonk [6]**. Op het driehoekige plein voor de kerk houd je rechtdoor aan, richting Zandhoven door de Bergstraat. Aan het tankstation buig je met de hoofdweg links mee en 750 m verder bereik je de afslag scherp rechts naar **Hotel 't Hemelryck [1]**.

UITBREIDING

3 8 Aan de **afslag naar het asfaltpad [3]** vervolg je de hoofdweg onder de autoweg door, tot je bij een grote kapel schuin links de Parochiestraat inslaat. Aan de **kerk van Viersel [7]** stap je links de Beemdstraat in en op het einde volg je de Veerstraat even links om direct rechts een doodlopende asfaltweg te kiezen. Bij het waterzuiveringstation gaat die over in een grindweg. In de beemden steek je de Molenbeek over en je komt uit aan het Netekanaal. Je wandelt nu door het natuurreservaat Viersels Gebroekt. Aan het kanaal ga je rechts over de grindweg of je kiest het geasfalteerde jaagpad op de dijk. Uiteindelijk komen die toch samen en je stevent af op een **brug over het kanaal [8]**.

8 4 Je steekt de brug over en onmiddellijk kun je links via een andere trap terug afdalen naar het jaagpad op de andere oever. Je wandelt er rechtdoor en 200 m verder sla je rechts een asfaltweg in, richting fietsknooppunt 73. Je bereikt nu snel de Kleine Nete. Je klautert de dijk op en volgt er het geasfalteerde jaagpad naar links. 2,5 km verder bereik je een **houten brug over de Kleine Nete [4]**. Het gewone traject komt van het pad links en je steekt de brug over en je vervolgt links het jaagpad, dus met de Kleine Nete aan je linkerhand.

2. Pulderbos

GESLOTEN LANDSCHAPPEN OP DE VROEGERE HEIDE

Op deze wandeling staan de Zandhovense deelgemeenten Pulle en Pulderbos op het programma. Beide namen verwijzen naar de aanwezigheid van een pulre of pol, wat poel betekent. Je wandelt door een halfopen agrarisch landschap met akkers en weilanden. Enkele beken, waaronder de Pulse Beek en de Kleine Wilborrebeek, zorgen voor een bosrijke doortocht van loofhout. In Pulderbos passeer je een windmolen en op de terugweg loop je door een akkerlandschap met zicht op de dennenbossen van de Viersel Heide.

AFSTAND 18,1 km, verkorting 9,7 km, uitbreiding 21,7 km (paars).
VERTREK Hotel 't Hemelryck
AARD VAN DE WEG Aardewegen en verkeersarme asfaltwegen.
TOEGANKELIJKHEID Mogelijk voor buggy's behalve na regenval (modder).
ETEN & DRINKEN

- Eetcafé 't Molenhuis (tussen **[4]** en **[5]**): Molenheide 67, 2242 Pulderbos, ✆ 03 464 06 15.
- Twee café's aan de kerk van Pulderbos **[5]**.

Grobbendonk

DE WANDELTOCHT

1 3 Met de rug naar **Hotel 't Hemelryck [1]** ga je rechts naar de grote weg die je rechts volgt. Aan huisnummer 108 sla je rechts de Waterlaatstraat in. Enkele haakse bochten verderop duikt die een bos in. Waar de weg links verder gaat, wandel je rechtdoor tussen de betonnen palen. 200 m verder sla je bij huisnummer 7 links af. Je steekt de Warme Handstraat over en tegenover huisnummer 33 kies je rechts de grindweg naar de pottenbakkerij. Aan het gebouw ga je rechtdoor verder over de ruigte en later door het bos. 100 m voorbij de bosrand volg je de afslag schuin rechts en het pad eindigt op een brede bosweg. Je steekt er over naar de aarden bosweg en op het einde neem je de betonweg naar rechts. Voorbij huisnummer 6 sla je links af en aan een houten huis volg je het pad rechtdoor. Op het einde van de Trawantelberg ga je schuin links en onmiddellijk aan de Y-splitsing kies je schuin rechts. Aan de asfaltweg wandel je links en weldra verlaat je het bos. Je stapt de weg af tot hij in een aardeweg overgaat. Hier kies je het aardepad rechts. Na een haakse bocht kom je aan een knik in een verharde aardeweg en je gaat er links. 1,6 km verder bereik je een geasfalteerd fietspad. Je slaat het links op en weldra kom je in een bos aan **fietsknooppunt 06 [2]** waar de verkorting begint. Het gewone traject gaat rechts de verharde aardeweg Pulderdijk op richting knooppunt 07. Je steekt de Molenbeek over en 250 m verder sta je op een **kruispunt met een boomkapelletje [3]**.

3 5 De uitbreiding gaat hier rechts, het gewone parcours links de asfaltweg op naar knooppunt 95.
Na 1200 m buigt die naar rechts en eindigt op een **T-sprong bij de Klein Heide [4]**. Hier komt de uitbreiding van rechts en je stapt links de dubbele betonweg op. 100 m verder, voorbij huisnummer 39, kies je rechts de Mastenbaan. De weg slingert rond voetbalvelden en eindigt op een drukke weg. Je gaat er links verder op het fietspad. Je passeert een windmolen en aan de bibliotheek buig je schuin links mee naar de **kerk van Pulderbos [5]**.

5 6 Voor de kerk volg je rechts de klinkerweg en je steekt de hoofdweg links over naar de Lindelaan. De klinkerweg gaat over in een dolomietpad en na een haakse bocht kom je op een T-sprong, waar je links verder wandelt. Asfalt maakt aan het bos plaats voor aarde en voorbij de Kleine Wilborrebeek, loop je over een asfaltpad tussen de weilanden richting knooppunt 71. Op de asfaltweg ga je dan links en aan huisnummer 60 kies je links de **kasseiweg voor boordeigenaars [6]**.

6 7 Kasseien gaan over in grindsporen en na 250 m, juist op het einde van een houten weideomheining, ga je rechts een breed graspad op langs de omheining. Je krijgt bos en een vochtig weiland voorgeschoteld, je steekt een brugje over en je gaat even rechts om di-

rect links langs de gracht verder te stappen. Aan een modderige aardeweg volg je die naar links. Voorbij een oude hoeve met zonnecel wordt de weg beter, buigt rechts af en eindigt op een slechte kasseiweg. Je volgt die naar links en je ruilt hem 50 m verder voor de zandweg rechts. Op het einde ga je de asfaltweg rechts op. Je passeert een waterzuiveringstation en je steekt twee beken over. Op het einde van de Blauwhoef vervolg je links naar knooppunt 97. Daar kies je rechts de Binnenweg richting 68. Op een T-sprong verlaat je het fietsroutenetwerk en je gaat links. Voorbij het **Fatima-oord [7]** sla je rechts de Fonteinstraat in.

7 1 Op het einde ga je naar links en je volgt de dubbele betonweg. Je steekt een drukke weg over, naar de asfaltweg op de grens van Pulle en Grobbendonk, vandaar de dubbele benaming Keulsebaan – Warme Handstraat. Je negeert de Kruisbaan en je bereikt bij huisnummer 22 de **afslag naar het Pulse Pad [8]**. Hier komt de verkorting je tegemoet en je gaat rechts verder. In het bos buigt de smalle asfaltweg naar rechts de Waterlaatstraat in en over dezelfde weg als in het begin keer je terug naar **Hotel 't Hemelryck [1]**.

VERKORTING

2 8 Aan **fietsknooppunt 06 [2]** wandel je rechtdoor de Heirbaan van Pulle verder af. Aan knooppunt 17 vervolg je richting 15, maar aan de betonweg ga je wel rechts. Aan de viersprong bij het begin van Pulle, verlaat je Boshoven voor de Vliegenzwam links. Je negeert de afslag naar de woonwijk, je verteert drie haakse bochten en waar je de doodlopende Eekhoornbrood dreigt op te gaan, vervolg je de asfaltweg rechts. Eenmaal uit het bos stap je de Warme Handstraat rechts op, tot de **afslag van het Pulse Pad [8]** waar het gewone traject je tegemoet komt. Je gaat hier links.

UITBREIDING

3 9 Aan het **boomkapelletje [3]** wandel je rechts de bosweg Boskant op. De zandige aardeweg eindigt na 1,7 km op een T-sprong dicht bij de E34. Je gaat hier scherp links over een brede bosweg. Je negeert het **preventorium [9]**, maar aan de Nachtegalendreef ga je wel links de aardeweg op.

9 4 300 m verder neem je rechts een vaak modderig bospad onder bomen en struiken. Op het einde gaat het op de verharde aardeweg rechts verder, tot aan een asfaltweg die je rechts volgt. Aan het kruispunt met de Kievitslaan kies je de asfaltweg links en aan de hoogspanningsleiding volg je links de Kleine Heide. De betonweg buigt direct rechts af en het gaat nu in rechte lijn tot **waar hij verbreedt [4]**. Hier eindigt de uitbreiding en wandel je rechtdoor.

3. Herentals

IN HET TEKEN VAN HET WATER

Deze wandeling verkent de Kleine Nete richting Herentals. Wie voor de uitbreiding kiest, krijgt het mooiste van de Kleine Nete voorgeschoteld. Je vertrekt door het Molenbos, maar ruilt het snel voor een idyllische vallei met weilanden. Op weg naar Hidrodoe schuil je opnieuw in een bosrijke omgeving. Het bezoekerscentrum ligt aan de rand van Herentals. Na een bezoek, zoek je de beemden langs de Aa op en voorbij Vorselaar eindig je de wandeling zoals je die begon, in het mooie Molenbos.

AFSTAND 19,1 km, verkorting 12,6 km, uitbreiding 25,3 km (oranje).
VERTREK Hotel 't Hemelryck
AARD VAN DE WEG Aarde- en grindwegen en verkeersarme asfaltwegen, passages met mul zand op de uitbreiding.
TOEGANKELIJKHEID Mogelijk voor buggy's behalve na regenval, echter niet op de uitbreiding.
ALTERNATIEVEN Je kunt ook aan Hidrodoe **[4]** starten met het gewone traject of de uitbreiding, aan **[6]** de gemakkelijk te vinden verkorting, in omgekeerde zin volgen tot **[3]** en verder het gewone traject terug naar Hidrodoe **[4]** nemen (9,7 km, respectievelijk 15,9 km).
ETEN & DRINKEN

- Waterc@fé Hidrodoe **[4]**.
- De Repertoire (juist voorbij **[8]**): Poederleeseweg 15, 2200 Herentals, ☎ 014 86 97 97, fax 014 86 97 98, www.derepertoire.be, info@derepertoire.be, dag. vanaf 09.00 u.
- Toeristentoren De Paepekelders **[9]**.
- Enkele gelegenheden in het centrum van Vorselaar.

DE WANDELTOCHT

1 → 2 Met de rug naar **Hotel 't Hemelryck [1]** volg je de Floris Prinsstraat naar links. Op het einde steek je over naar de Vorselaarsebaan en voor het einde van de fabriek, sla je links een bospad in. Dat mondt uit in een brede dreef naar rechts. Waar die eindigt vervolg je rechtdoor een onduidelijk bospad dat later verbreedt. Aan de jeugdgebouwen steek je het grasveld schuin rechts over naar de aardeweg. Die buigt geleidelijk naar rechts en voorbij het bos stap je rechtdoor een zandweg op. Aan de watertoren neem je de betonweg naar links, tot de eerste bocht waar je rechtdoor aanhoudt. Op het molenerf ga je rechts de **Kleine Nete [2]** over. Links mondt de Aa er in uit.

2 → 3 De asfaltweg leidt naar een T-sprong. Hier vervolg je naar links langs de omheining van het militaire domein. Aan knooppunt 19 kies je links richting 18. Je steekt de Kleine Nete over en in de bocht naar links zoek je rechtdoor de zandige bosweg. De weg eindigt voorbij een hek aan het uiteinde van natuurgebied **Het Heiken [3]**.

3 → 4 De verkorting volgt de asfaltweg naar links terwijl het gewone traject de asfaltweg rechts opgaat. Je passeert een camping en de gemeentegrens van Herentals. Na 1,6 km, bij de brandgang rechts, neem je de bosweg schuin links langs de oranje Fluxyspaaltjes. Voor het hoge hek ga je links opnieuw de beek over en na een bocht naar rechts bereik je **Hidrodoe [4]**.

4 → 5 De uitbreiding start rechtdoor, het gewone traject gaat voor het gebouw links. Na 50 m volg je de omheining naar rechts en nog eens 50 m verder duik je links het bos in. Je negeert alle afslagen tot je een smalle betonweg bereikt, die je rechts volgt. In de bocht kies je de bosweg links. Aan een T-sprong draai je rechts mee en voorbij het bos krijg je grind tot de Poederleeseweg. Je volgt het fietspad naar links. 150 m voorbij de Aa staan er **picknicktafels [5]**.

TIMMERMANS ACHTERNA

Het landschap wordt bepaald door weilanden en bomenrijen. Dit is het landschap waar Felix Timmermans zo graag zijn dagen doorbracht. Hij koos zelfs de Grobbendonkse deelgemeente Bouwel als locatie voor 'Minneke Poes', een beschrijving van het folkloristische leven in de Kempen. Voorbij het Molenbos, bereik je de Kleine Nete bij de monding van de Aa. Sinds de 12de eeuw bevindt zich hier de watermolen van de ridderlijke familie van Grobbendonk, die op 'Het Hof' woonde. De molen brandde verschillende keren uit: in 1268, 1597 en 1919. Nu is hij samen met de omgeving geklasseerd. Van het kasteel dat in 1579 afbrandde, resten enkel nog de stallen. Het geheel is eigendom van Graaf d'Ursel, een nazaat van een Duitse koopman, die het kasteel in 1545 kocht.

5 – 6

Je gaat er links de zandweg op. 2,5 km verder volg je de betonweg 150 m naar links, om de doodlopende Leeuweriklaan te kiezen. Na een haakse bocht gevolgd door verkeerspaaltjes, verandert de straatnaam in Fazantenlaan en 700 m verder sla je rechts de **Merellaan [6]** in.

6 – 1

Een haakse bocht en een T-sprong waar je links kiest, leiden je naar een driehoekig plein dat je oversteekt en links via de Kerkstraat verlaat. Je passeert de kerk en buigt dan tweemaal schuin links om de Kempenlaan op te zoeken. Je steekt de Goorbergenlaan over, je passeert een kapel en je negeert de Boulevard maar dan sla je wel rechts Heikant in. Op het einde ga je links de brede betonweg op. Aan de bosrand vervolg je rechtdoor en op het **einde van Heikant [7]** stap je links langs betonpalen een verharde bosweg op. Na 1 km vervolg je rechtdoor een asfaltweg. Je negeert de Kerkeveldstraat, maar slaat dan links de Kapelstraat in. Je volgt het traject van het begin van wandeling 2 in omgekeerde zin: op de T-sprong stap je rechts de doodlopende Koekoekstraat in, voorbij de betonpalen kies je de Waterlaatstraat en op het einde scheiden links 100 m je van **Hotel 't Hemelryck [1]**.

VERKORTING

3 – 6

Aan **Het Heiken [3]** volg je de asfaltweg naar links. Op de T-sprong ga je links en aan de kapel draai je rechts mee, richting fietsknooppunt 01. Je steekt de Aavallei over en voorbij het bord van de bebouwde kom van Vorselaar, sla je rechts de Fazantenlaan in tot aan de **Merellaan [6]** waar de verkorting eindigt. Je volgt links de Merellaan.

UITBREIDING

4 – 8 De uitbreiding start langs de ingang van **Hidrodoe [4]**. Na enkele haakse bochten gaat de weg over in asfalt. Voorbij de Vlaamse Wielerschool volg je rechts de Heikenstraat. Juist voor de bocht kies je links een aardepad langs een beek. Je wandelt strak rechtdoor en aan de Kleine Nete moet je links. Je volgt getrouw de rivier tot een grote weg, onderweg de nieuwe houten brug negerend. Op de grote weg ga je enkele meters naar links om schuin links een pad naar het Netepark te nemen. Tussen minigolf en verkeerspark bereik je de **parking van het Netepark [8]**.

8 – 9 Je gaat er rechts naar de betonweg tot je juist voor zijn einde links langs De Repertoire kunt. Je steekt de Poederleeseweg over naar een doodlopende klinkerweg. Aan de kapel kies je de tegels schuin links en in de woonwijk ga je rechtdoor de Rankenstraat in. Op het einde stap je rechts verder en juist voor de overweg sla je links af. Na 100 m volg je de kruisweg bergop naar een grote witte kapel. Daar neem je het horizontale bospad rechtdoor. Aan het kerkhof buig je schuin links een brede zandweg in. Voor de **toeristentoren [9]** daal je haaks links af.

9 – 5 Aan de T-sprong gaat het rechts tussen de paaltjes door, een brede vergrindde bosweg op. Op het einde volg je de asfaltweg even rechts om links een andere asfaltweg te kiezen. Op de T-sprong vervolg je rechts en onmiddellijk ga je links een zandweg in. Voorbij de Slootbeek bereik je stuw 3 op de Aa. Via de voetbrug bereik je de aardeweg op de andere oever. Na een rechtse bocht verwijdert hij zich van de beek. Aan het honden- en poezenhotel moet je links en aan de kapel Achter Sassenhout kies je de asfaltweg scherp links. Die eindigt aan de **Poederleeseweg [5]**. Je steekt voorzichtig over naar de zandweg langs de picknicktafels.

3. Peer

DOOR HET LAND VAN TEUTEN,

Peer ligt aan de bovenloop van de Dommel, een riviertje dat zijn weg naar het noorden naar Nederland zoekt. In de deelgemeente Kleine-Brogel verken je de streek van dennenbossen, uitgestrekte akkercomplexen en beboste beekdalen. Naar het westen, kun je urenlang wandelen in de bossen tussen Lommel, Overpelt en Eksel. Naar het noorden, leidt de wandeling naar het teutendorp Kaulille waar vroeger veel rondrekkende handelaars woonden. Verder gaat de tocht naar het Kanaal van Bocholt naar Herentals. Als je naar Reppel en Grote-Brogel wilt, start je in het centrum van Peer. Hier zag toondichter Armand Preud'homme het levenslicht. Ook Pieter Brueghel zou hier geboren zijn, maar dat is onzeker. De plaatselijke bevolking twijfelt echter geen seconde. Het zal je een zorg zijn.

BRUEGHEL EN ARMAND PREUD'HOMME

Onze logiestips: In **Casa Ciolina** staat alles in het teken van verwennen en onthaasten. Gasten kunnen gebruikmaken van een groot verwarmd zwembad en een luxueuze sauna, ingericht in een van de grote vroegere stallen rond de binnenplaats. Als je in **Villa Christina** logeert, adem je de geschiedenis van de Teuten in. Deze gerestaureerde herberg uit de 18de eeuw, diende voornamelijk voor deze handelaars, die te voet door Limburg en Westfalen tot in Sint-Petersburg trokken.

Onze wandeltips: De eerste van de drie wandelingen begint vrij vochtig in de vallei van de Dommel. De bodem verandert echter al snel in zandige ondergrond. De tweede wandeling brengt je langs het vroegere teutendorp Kaulille. Hier woonden veel leurders, maar die waren meestal ver van huis om hun waren te verkopen. Voor de derde wandeling zoeken we Grote-Brogel op. Hoe luidruchtig het in Kleine-Brogel soms ook kan zijn, Grote-Brogel is de rust zelve. Je zult het aan den lijve ondervinden.

In de stille Kempen

B&B CASA CIOLINA

Op wandelafstand van de dorpskern van Kleine Brogel, bij Peer, hebben Maria en Enrico Ciolina een negentiende-eeuws zeepfabriekje omgebouwd tot een luxueuze bed & breakfast waar het goed toeven is.

De naam van het huis verwijst naar Enrico Ciolina's Italiaanse voorvaderen die al in de negentiende eeuw naar Nederland emigreerden. Het pand dateert ook van die tijd en werd oorspronkelijk gebouwd als zeepfabriekje. Later kwam daar nog een handel in koloniale waren en een kruidenierszaak bij. De Ciolina's konden het grote gebouw een paar jaar geleden kopen; voor Maria was het liefde op het eerste gezicht. "Dit huis heeft het", vertelt ze. "Ik wist meteen dat ik mij hier goed zou voelen. En door de verschillende grote ruimtes vraagt het gewoon om door veel mensen 'beleefd' te worden."

Casa Ciolina, Zavelstraat 17, 3990 Peer (Kleine Brogel)
+32 (0)11 74 30 34, info@casaciolina.be, www.casaciolina.be
vanaf 120 euro per nacht per kamer, ontbijt inbegrepen. Midweek- en gastronomische arrangementen.

Maria had ervaring opgedaan in de mode- en textielsector en houdt ervan meubelen te stofferen en huizen te decoreren. Maar voor ze hier met de inrichting kon beginnen, moesten er nog technische ingrepen gebeuren om het huis te voorzien van hedendaags comfort zoals verwarming en sanitair.

Het resultaat mag er zijn. Bij de restauratie werden verschillende oude elementen zoals de houten vloeren en de grote open haard behouden en heeft Maria zich kunnen uitleven om de juiste decoratie toe te voegen. Maria en Enrico Ciolina hebben een B&B gecreëerd waar iedereen zich snel thuis zal voelen. De inrichting is warm en stijlvol, maar zonder overdaad. Op de gelijkvloerse verdieping wordt in de gezellige woonkamer aan de grote tafel dagelijks een uitgebreid ontbijt opgediend en tijdens de weekends wordt er voor een Italiaans of gastronomisch diner gedekt.

In *Casa Ciolina* staat alles in het teken van verwennen en onthaasten. Gasten kunnen gebruikmaken van een groot verwarmd zwembad en een luxueuze sauna, ingericht in een van de grote vroegere stallen rond de binnenplaats.

De vijf ruime romantische kamers zijn alle verschillend, maar overal is er aandacht besteed aan het meubilair en de decoratie, waardoor een persoonlijke sfeer ontstaat. Elke kamer beschikt over een functionele badkamer.

De inrichting is warm en stijlvol, maar zonder overdaad.

Wie dacht dat Kleine Brogel alleen een luchtmachtbasis was, heeft het dus verkeerd. In het gastenboek van *Casa Ciolina* wordt deze plaats trouwens de Hof van Eden genoemd.

Italië in Limburg

VILLA CHRISTINA

Samen met twee collega's had Frank Pinxten plannen om met een toeristisch project in Italië te beginnen. De zaak kwam er – niet in Italië, maar in hun eigen Hamont-Achel. Frank kwam dagelijks voorbij een oude Teutenwoning in het centrum van Hamont, het huis dat nu *Villa Christina* heet. Het werd in de achttiende eeuw gebouwd als herberg waar vooral Teuten, handelaren die te voet door Limburg en Westfalen tot in Sint-Petersburg trokken, overnachtten en hun paarden konden stallen. De laatste bewoonster overleed in 1997 en de herberg werd te koop aangeboden.

"Omdat ik het huis zo goed kende, was ik benieuwd om de binnenkant te zien", vertelt Frank. "De vorige bewoonster gebruikte slechts één kamer op de begane grond; de rest van het gebouw was vervallen." Het huis werd in 1996 beschermd als monument – daarom waren slechts weinigen geïnteresseerd om het te kopen.

Elke kamer is anders aangekleed met stijlvol meubilair, maar overal is voor een Italiaanse tint gezorgd.

Frank had een goed gevoel en zag meteen enorm veel mogelijkheden. Toen de koop afgerond was, begon hij met zijn collega's het grote complex volledig te restaureren. Eerst werd het koetshuis aangepakt, want dat was een echte ruïne. De historische gevel werd opgefrist en de binnenkant kreeg een volledig nieuwe vormgeving met vier klassieke en functioneel ingerichte gastenkamers met modern sanitair. Op de gelijkvloerse etage is er een gezellige leefruimte met televisie en internetaansluiting.

Villa Christina, Stad 4, 3930 Hamont-Achel
+32 (0)11 57 55 84, info@villachristina.be, www.villachristina.be
vanaf 110 euro per kamer inclusief ontbijt.

In de hoofdwoning hebben ze de originele volumes behouden. De gang verdeelt het huis in twee gelijke delen, waarbij een ruimte als ontbijtzaal dienstdoet en het andere vertrek een salon werd. Tijdens de restauratiewerkzaamheden ontdekten de nieuwe eigenaars de originele plafondschilderingen, die ze in ere herstelden. De gemeenschappelijke ruimtes zijn ingericht met klassiek Italiaans meubilair en in de grote keuken kunnen gasten uitstekende Italiaanse wijnen proeven.

De originele houten trap leidt naar de verdiepingen, waar zes comfortabele kamers ingericht zijn. Elke kamer is anders aangekleed met stijlvol meubilair, maar overal is voor een Italiaanse tint gezorgd. De twee grote kamers op de bovenste verdieping hebben zelfs een eigen keukentje en zijn ideaal voor een langer verblijf. Elke kamer beschikt over een functionele badkamer, internetaansluiting en tv.

De nieuwe gastheren doopten hun huis *Villa Christina*, als eerbetoon aan de vorige bewoonster. Maar zelfs haar naam kreeg een Italiaanse versie, want eigenlijk heette ze gewoon Christine Geusens.
Met de restauratie hebben Frank en zijn collega's aan dit historische pand dus zijn oorspronkelijke functie van herberg teruggegeven.

Peer praktisch

Wandeling 1 voert je door de uitgestrekte naaldbossen van het Pijnven, op het grondgebied van Eksel, Overpelt en Lommel. De wandeling naar Kaulille, leidt je door een afwisselend landschap van bossen en velden langs de Warmbeek naar het Kanaal Bocholt-Herentals. Op de terugweg, wandel je rond de vliegbasis van Kleine-Brogel. De derde wandeling start aan de kerk van Peer en brengt je weer door een gevarieerd landschap van dennenbossen en landbouwgebieden naar Grote-Brogel en Reppel.

ALTERNATIEVEN

Wie in Villa Christina in Hamont overnacht, rijdt telkens over Kaulille naar Kleine-Brogel (wandelingen 1 en 2) (12 km) of naar Peer (wandeling 3) (16 km).

BEOORDELING

De wandelingen verlopen in vlak landschap met nauwelijks reliëfverschillen. Zandige aardewegen en bospaden maken de hoofdmoot van de trajecten uit. Enkele asfaltstroken – langs het Kanaal Bocholt-Herentals en door enkele dorpen en gehuchten – vervolledigen het parcours. Je kunt de wandelingen in elk seizoen doen. Als het lang droog blijft, moet je door het mulle zand.

HOE KOM JE ER?

MET DE TREIN Voor deze bestemming is de wagen aan te raden. Wie toch met de trein wil komen, spoort naar Overpelt op lijn Antwerpen-Neerpelt. Vandaar is het 5 km naar Kleine-Brogel.

MET DE AUTO Kleine-Brogel bereik je door de E314 te verlaten bij afrit 29-Houthalen en de N74 richting Eindhoven te volgen. Neem de afrit voor de N73 naar Peer en Bree. Op de omleidingsweg rond Peer, neem je aan de rotonde met de F16, links de weg naar Kleine-Brogel.

Vanop de E313 neem je afrit 25-Ham en rijd je verder via Kwaadmechelen, Oostham, Heppen, Leopoldsburg en Hechtel naar Peer.

Casa Ciolina bereik je door 200 m voorbij het rondpunt en 50 m voorbij de kerk van Kleine-Brogel, rechts de Zavelstraat in te rijden.

KAARTEN

NGI topografische kaart 1/25.000, nr. 17/3-4 (Lommel - Overpelt), 17/7-8 (Leopoldsburg - Peer), 18/1-2 (Hamont - Veldhoven) en 18/5-6 (Meeuwen - Bree).

INFORMATIE

- Toerisme Peer: Oud Stadhuis, Markt z/n, 3990 Peer, ☎ 011 61 16 02, fax 011 61 16 05, www.peer.be, toerisme@peer.be.
- Toerisme Bocholt: Gemeentehuis, Dorpsstraat 16, 3950 Bocholt, ☎ 089 46 04 94, fax 089 46 67 90, www.bocholt.be, toerisme@bocholt.be.

PEER

In 1367 verleende de leenheerlijke grondheer Everaert van der Marck aan Peer stadsrechten en voorzag de stad van stadswallen en drie poorten. Deze werden in het begin van de 19de eeuw gesloopt, maar de vestenring bleef staan. Peer is afgeleid van perre of parre wat park of omheinde plaats betekent. In 464 was Childeric, koning der Franken, er al te gast. In 1623 promoveerde Peer tot graafschap. 'Ten eeuwigen dage' beweert de oorkonde, maar in 1654 plunderden Lorreinen de stad en staken alle huizen en de kerk in brand. Het roze voormalige stadhuis van 1637 staat op het uitgestrekte Frankische marktplein. Oorspronkelijk was de benedenverdieping een open lakenhalle. De Sint-Trudokerk van 1422 wordt het 'baken en kathedraal van de Kempen' genoemd, de 65 m hoge westertoren zelfs de 'reus der Kempen'. De toren is in 1457 opgetrokken in de typische Kempische baksteengotiek en maakt deel uit van de stadsversterking. Sinds 1992 hangt in de toren een beiaard met 51 klokken. Voor de toren staat een analemmatische zonnewijzer. Je moet er zelf middenin staan om de tijd te kennen. Voor 't Poorthuis met de stadsdiensten, verwijzen de pijnappel en het kruis op de vrijheidszuil naar de afhankelijkheid van de stad aan het prinsbisdom Luik.

N715
7
4
5
6
N74
3
Eksel
N715
N747
Wijchmaal

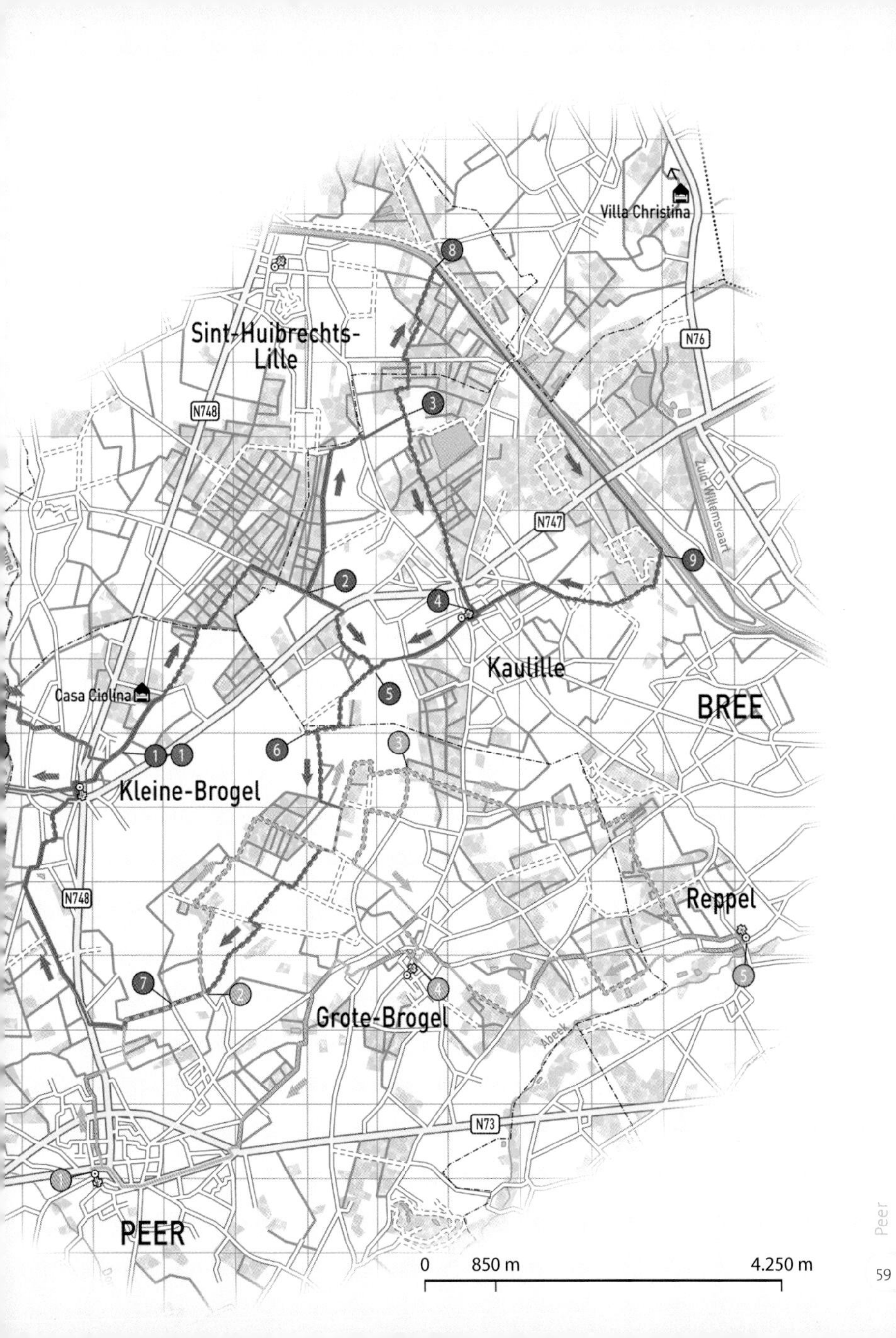
Villa Christina
Sint-Huibrechts-
Lille
N76
N748
N747
Zuid-Willemsvaart
Kaulille
BREE
Casa Ciolina
Kleine-Brogel
N748
Reppel
Grote-Brogel
Abeek
N73
PEER
0
850 m
4.250 m

1. Lommel

OVER DE DOMMEL NAAR LOMMEL

De vallei van de Dommel is vrij vochtig. Er zijn dan ook veel bossen en maar weinig doortochten. Gelukkig zijn er twee bij Kleine-Brogel, zodat je gemakkelijk de overzijde bereikt. Daar, op het grondgebied van Eksel, Lommel en Overpelt, liggen uitgestrekte dennenbossen op de zandige ondergrond. Het mulle zand en de duinen zijn de restanten van het heideverleden van het gebied. Wanneer opnieuw loofbomen opduiken, nader je de Dommel en het eindpunt van de wandeling.

AFSTAND 17,0 km, verkorting 5,7 km, uitbreiding 26,3 km (rood).
VERTREK Casa Ciolina in Kleine-Brogel
AARD VAN DE WEG Aarde- en boswegen, veel mul zand, enkele verkeersarme asfaltwegen.
TOEGANKELIJKHEID Onmogelijk voor buggy's wegens het vele mulle zand.

DE WANDELTOCHT

1 2 Met de rug naar **Casa Ciolina [1]** vertrek je rechts. Na een haakse bocht steek je de grote weg over naar een smal weggetje. Op het einde vervolg je links en aan het café sla je rechts de Kerklaan in. Op het einde volg je de Ekselse Baan naar rechts. Voorbij de Dommel bereik je het grondgebied van Eksel en kies je rechts de Kleinmolenstraat. Na 250 m aan een **afslag [2]** gaat de verkorting rechtdoor.

2 3 Je neemt er de grasweg links langs bomen en struiken (gele zeshoeken). Op het einde duik je schuin links een bosweg in. Je negeert alle afslagen en uit het bos houd je rechts langs het omheinde militaire domein. Een haakse bocht leidt naar het fietsroutenetwerk dat je links volgt. Aan knooppunt 247 neem je rechts het gloednieuwe fietspad richting 256. 500 m voorbij de haakse bocht, buig je rechts een aardeweg in. Bij de hoeve aan de bosrand ga je links de asfaltweg op. Waar die van de autoweg weggedraaid is, sla je rechts een asfaltweg in. Je dwarst een eerste weg, maar je volgt de tweede naar rechts over de autoweg. 200 m voorbij de brug ga je scherp rechts. Aan het kapelletje buig je links mee. Je negeert alle afslagen en 900 m verder steek je een kruispunt met kapel over naar de Winnerstraat. Aan de eerste splitsing sla je links in, richting knooppunt 257. Tegenover huisnummer 70 neem je rechts de aardeweg langs het speelplein. Je blijft de bosrand volgen, door eerst haaks links gevolgd door haaks rechts te gaan. 75 m voorbij die laatste bocht moet je toch links het bos in. Na 30 m volg je dan weer rechts een bosweg die voorbij het bos rechts afbuigt en op een grote weg uitkomt. Je wandelt die links op tot het **begin van het bos [3]** waar de uitbreiding schuin links de brandgang ingaat.

3 4 Het gewone parcours zoekt schuin rechts een smal bospad. 200 m verder steek je een ander pad over. Nog eens 100 m verder, maakt het pad een bocht naar links en een naar rechts en je komt op een splitsing uit. Je neemt er de bosweg links en op het einde moet je rechts verder over een zandige bosweg. Aan een viersprong na 650 m steek je schuin rechts over en 200 m verder kom je aan een **viersprong waar de richting rechtdoor even links begint [4]**.

4 5 Je wandelt er rechts en 250 m verder bereik je de bosrand. De weg buigt links af tussen bosrand en weiden. Op de T-sprong vervolg je rechts, je steekt de Gortenloop over en je belandt aan een knik in een asfaltweg. Je gaat er links, je steekt de autoweg over en op het einde van de Groenstraat volg je de asfaltweg rechts naar fietsknooppunt 247. In het gehucht Hoeven steek je de weg Eksel-Overpelt over naar de Kleinmolenstraat. Tot de Tielenstraat houd je rechtdoor aan. Daar moet je even links, om

TEUTEN

Dat de bodem hier arm is en slechts een kleine bevolkingsgroep kon voeden, moet op deze wandeling niet gezegd worden. Zo moesten heel wat mensen elders een inkomen vinden. Het werden rondtrekkende kooplieden of ambachtslui, zogenaamde 'buitengaanders' of teuten. Het fenomeen ontstond rond 1500 en het waren meestal jonge, ongehuwde mannen die in het voorjaar naar het buitenland vertrokken en meestal pas tegen het jaareinde terugkeerden. Hun handelsterrein breidde zich uit over Nederland, Duitsland tot zelfs Denemarken. Ook hun herkomstgebied groeide en op het einde van de 18de eeuw kwamen ze uit grote delen van de Kempen, van Eindhoven tot Hasselt en van Diest tot Roermond. Door de verbetering van het transport, stortte de teutenhandel in de 18de eeuw ineen. Wie niet definitief was uitgeweken, kon rentenieren of investeerde in kleine bedrijfjes, zoals sigarenfabriekjes of stokerijen.

direct rechts verder de Kleinmolenstraat af te stappen. Als je kiezel onder de voeten geschoven krijgt, nader je de **viersprong aan de kapel van Onze-Lieve-Vrouw van Rozen [5]**.

5 1

Je neemt er de aardeweg links (richting ruiterknooppunt 27) en kiest 80 m verder rechts de aardeweg langs bomen en struiken. Je wandelt de rijweg rechts op, je steekt de Dommel over en 200 m verder neem je de eerste afslag naar rechts, richting fietsknooppunt 207. Aan de T-sprong met veldkapelletje, ga je even rechts om direct links de Pelterweg te kiezen. Op het einde ga je rechts en je wandelt de grote weg tot het einde af. Daar ga je rechts richting kerk maar voorbij huisnummer 34 kies je links een asfaltpad. Je dwarst een klinkerweg en op het pleintje met de kapel scheiden 100 m je links van **Casa Ciolina [1]**.

VERKORTING

2 5

Aan de **afslag in de Kleinmolenstraat [2]** houd je rechtdoor aan en de vergrindde aardeweg brengt je 900 m verder aan een **viersprong aan de kapel van Onze-Lieve-Vrouw van Rozen [5]** waar de verkorting eindigt en je de aardeweg rechts inslaat.

UITBREIDING

3 6

Bij het **begin van het bos [3]** volg je de brede brandgang schuin links. 1300 m verder steek je voorzichtig de weg Hasselt-Eindhoven over en je blijft de brede zandgang volgen tot na 1900 m een GR-pad (wit-rood) je weg dwarst. Je volgt het naar

rechts, door een gemengd bos met dreefallures. Tussen duintjes wandel je naar een vijfsprong. Je blijft er de GR volgen (schuin links) en waar de kiezelweg na 450 m links afbuigt, blijf je rechtdoor aanhouden. Bij een nieuwe vijfsprong steek je de aardeweg over en de GR volgend steek je het laatste stukje bos door naar een **betonnen fietspad [6]**.

6 7 Je gaat er rechts verder. Het fietspad volgt getrouw de bosrand en bij de inkeping heb je links uitzicht op de kruisjes van het Duitse oorlogskerkhof in de Kattenbossen van Lommel. Aan ruiterknooppunt 24 wandel je rechtdoor richting 25 en aan een haakse rechtse bocht buig je gewillig mee. Het geasfalteerde fietspad en de grindweg flirten met elkaar, maar je houdt zekerheidshalve de grindweg aan. Je volgt de kaarsrechte grindweg steeds rechtdoor. Een bocht naar rechts kondigt een T-sprong aan, waar je links verder stapt. Een slagboom kondigt het einde van het bos aan en je wandelt rechts verder onder de eerste bomenrijen. Je dwarst de **weg Hasselt-Eindhoven [7]** en je volgt de zandweg steeds rechtdoor.

7 4 Na een eerste bospassage, wandel je langs velden. In de tweede bospassage bereik je na 250 m een **viersprong waar de zijwegen niet recht op elkaar uitkomen [4]**. Hier eindigt de uitbreiding en wandel je rechtdoor verder.

2. Kaulille

LANGS DE WARMBEEK NAAR HET KANAAL VAN BOCHOLT-HERENTALS

Op deze wandeling maak je kennis met de uitgestrekte dennenbossen waarvoor de Kempen zo gekend zijn. Wie de uitbreiding volgt, zal langs het Kempisch Kanaal ook loofbossen tegenkomen. Ze behoren tot dezelfde bossen als de vochtige Lozerheide aan de overzijde van het kanaal. Met Kaulille maak je kennis met een typisch teutendorp. Teuten waren leurders die naar Nederland en Duitsland trokken, soms maandenlang van huis waren, alleen omdat de arme Kempengrond niet vruchtbaar genoeg was om hen te voeden. Als ze met gevulde beurzen terugkwamen was het uiteraard feest.

AFSTAND 21,2 km, verkorting 16,0 km, uitbreiding 27,5 km; kortere wandelingen: 8,0 km, 11,3 km en 14,4 km (zie alternatieven, paars).
VERTREK Casa Ciolina in Kleine-Brogel
AARD VAN DE WEG Aarde- en boswegen, veel mul zand, enkele verkeersvrije en -arme asfaltwegen.
TOEGANKELIJKHEID Onmogelijk voor buggy's wegens het vele mulle zand.
ALTERNATIEVEN Wil je kortere wandelingen, rijd dan naar de kerk van Kaulille **[4]**. De lus **[4]**-**[5]**-**[2]**-**[3]**-**[4]** is dan 8,0 km, de lus **[4]**-**[3]**-**[8]**-**[9]**-**[4]** 11,3 km, de beide lussen aaneen 14,4 km.
ETEN & DRINKEN

- drankenautomaat en picknicktafels bij **[3]**.
- Enkele gelegenheden aan de kerk van Kaulille **[4]**.
- Fietscafé-bistro Run Inn (op het einde): Burgemeester Voetslaan 6, 3990 Kleine-Brogel, ☎ 011 63 25 74, www.run-inn.be, run inn@hotmail.com, open vanaf 11.00 u, wo. gesloten.

DE WANDELTOCHT

1 2

Met de rug naar **Casa Ciolina [1]** vertrek je naar links. Aan de Groenstraat ga je rechts verder. Voorbij de Dennenstraat maakt de weg een flauwe bocht naar rechts, maar je gaat rechtdoor de aardeweg op. Op het einde volg je de bosrand naar rechts, je negeert de grasweg scherp links, maar na 150 m neem je wel de zandweg links doorheen het bos (naar ruiterknooppunt 28). Aan de grote weg steek je over naar het fietspad en volgt het naar rechts. Ter hoogte van het einde van de **omheining van het militaire domein [2]** sla je links een bosweg in (Equidroom).

2 3

Op het einde bereik je een vijfsprong en kies je schuin links langs de bosrand. Op het einde ga je de asfaltweg rechts op. Je steekt de Warmbeek over en de betonweg bij de gemeentegrens van Kaulille volg je even naar rechts om links de Souheideweg te nemen. De dreef leidt naar een **haakse bocht met picknicktafels en een drankenautomaat [3]**. De uitbreiding gaat hier links verder.

3 4

Het gewone parcours neemt de grindweg rechts. Je wandelt steeds rechtdoor tot **[4]**. Daarbij kom je in het bos op een zandweg terecht. Slechts eenmaal, na 1200 m, moet je ter hoogte van picknicktafels even schuin links. Wat verder bij een rustbank en een vijfsprong van zandwegen en –paden houd je schuin rechts aan. Waar je een asfaltpad dwarst, verlaat je het bos en aan een ingewikkeld kruispunt ga je rechtdoor, tot juist voor de **kerk van Kaulille [4]**.

4 6

Je neemt er rechts de Molenstraat. Je wandelt steeds rechtdoor tot **[5]**. Daarbij steek je de Boschelweg over, je negeert de Erkstraat, je passeert sportvelden en je dwarst de Winterdijkstraat. Voorbij een hoeve wordt grind onder je schoenen geschoven en steek je de Warmbeek over juist voor een **driesprong van grindwegen [5]**. Je blijft er rechtdoor aanhouden. Je negeert een bosweg links, maar voorbij het bos neem je wel de grindweg links. Aan de T-sprong wandel je naar rechts en aan de volgende afslag gaat het haaks links verder, na even bij de minst bekende **'spotters corner' van het vliegveld [6]** te zijn langs geweest.

6 7

De kaarsrechte grindweg eindigt aan een hoek van een bos. Je volgt er links de asfaltweg, die aan de volgende bosrand haaks rechts verder gaat. Op het einde van de Oude Weyerstraat volg je het asfalt naar rechts. Asfalt maakt aan een hoeve plaats voor grind. Iets verder buig je links af en op het einde volg je weer asfalt naar rechts. Na een haakse bocht, wandel je richting fietsknooppunt 207. Op het einde ga je links de grindweg in langs de bosrand. Aan de hoek van het bos, kies je de zandweg rechts. Voorbij een erf krijg je asfalt. Aan de viersprong met de Wittertstraat, vervolg je rechtdoor in de Maarlosedijk naar de **ingang van de vliegbasis van Kleine-Brogel [7]**.

7 1 Je wandelt er rechtdoor verder langsheen de gingko biloba. Na een haakse bocht dreig je Op de Kippen te geraken, maar je gaat rechts naar fietsknooppunt 207. Daarvoor moet je op de grote weg naar rechts en aan het kilometerpaaltje schuin links een asfaltweg nemen. Aan een infobord vervolg je schuin rechts naar 206. Voorbij de Peerdenloop volgen een haakse bocht en een driehoekig kruispunt waar je links kiest. 250 m verder neem je bij een hoeve rechts een graspad. Waar het verbreedt ga je haaks links verder over een grasweg. Op het einde ga je de asfaltweg rechts op. Aan de T-sprong doe je dat opnieuw en nog voor de rotonde neem je links de Voetslaan. Aan de elektriciteitscabine voorbij de Run Inn, sla je rechts een asfaltweggetje in. Je steekt de grote weg over naar een klinkerweg, die je na een haakse bocht naar **Casa Ciolina [1]** brengt.

VERKORTING

2 5 Aan het einde van het **militaire domein [2]** vervolg je het fietspad. Op de T-sprong steek je de grote weg over en zoek je rechts een aardepad onder de eerste bomen. Aan de afslag naar huisnummers 4-5 sla je links Elshoven in. Asfalt gaat over in grind, je negeert alle afslagen naar rechts en de verkorting eindigt op een **T-sprong van grindwegen [5]** waar je rechts verder wandelt.

UITBREIDING

3 8 Aan de **haakse bocht [3]** gaat de uitbreiding links. Je volgt het zigzaggende asfaltpad tot op een asfaltweg. Je gaat er links en 80 m verder, waar het bos aan je rechterzijde ophoudt, sla je rechts een zandweg in (blauwe ruit). Je wandelt onder een hoogspanningsleiding door en op de T-sprong ga je links het bos in. Nauwelijks 70 m verder, wandel je weer rechts verder. Langs velden met sierheesters houd je koppig rechtdoor aan tot het **Kanaal Bocholt-Herentals [8]**.

8 9 Je gaat er rechts het jaagpad op. Na 1,4 km duik je onder de brug Sint-Huibrechts-Lille I door. Bij Km 2.669 ga je ook onder de brug van Kaulille. Dan volgen twee kanaalverbredingen. 250 m voorbij het einde van de tweede, zoek je rechts een aardepad (geel-witte tekens op de bomen) dat voorbij een brugje over een gracht een **hoge omheining [9]** naar links volgt.

9 4 Het pad verbreedt tot een aardeweg en waar de omheining eindigt, krijg je zelfs twee grindsporen. Op de T-sprong ga je schuin rechts verder over een grindweg. Je negeert onmiddellijk de grasweg schuin rechts en op het einde steek je over naar een asfaltweg. Op het einde van de Raekerheideweg vervolg je rechtdoor in de Raakstraat tot je links de Pastoor Langensstraat in wandelt naar de **kerk van Kaulille [4]** waar de uitbreiding eindigt. Je steekt de hoofdstraat over naar de Molenstraat.

3. Peer

RUST EN IDYLLE IN GROTE-BROGEL EN REPPEL

Tussen Peer, Grote-Brogel en Reppel, strekt zich een waardevol agrarisch landschap uit. Tussen de weilanden langs de Broekbeek en bossen langs de Abeek, liggen immense akkercomplexen met hier en daar bospercelen. Langs de Abeek in Reppel, vind je nog een oude watermolen. Grote hoeven dateren uit de ontginningsperiode van dit deel van de Kempen. In een van deze hoeves, zou de schilder Pieter Brueghel geboren zijn. Je vindt dan ook vele namen die naar hem verwijzen.

AFSTAND 17,5 km, uitbreiding 24,9 km (geel).
VERTREK Westertoren van de kerk van Peer.
AARD VAN DE WEG Aarde- en boswegen en verkeersarme asfaltwegen.
TOEGANKELIJKHEID Mogelijk voor buggy's.
ETEN & DRINKEN

- Landelijk Ontmoetingscentrum Breugelhoeve (voorbij **[3]**): Weijerstraat 1, 3990 Grote-Brogel, ☎ 011 63 13 31 en 011 63 34 80, fax 011 63 52 30, geopend di.-zo. vanaf 10.00 u, ma. vanaf 14.00 u.
- Proeverij-restaurant Het Hoeveke (voorbij **[3]**): Weijerstraat 3, 3990 Grote-Brogel, ☎ 011 61 17 60, fax 011 63 52 05, www.hethoeveke.be, info@hethoeveke.be, geopend vanaf 12.00 u, zo. vanaf 11.00 u, di. gesloten, okt.-april ook ma.
- Cafetaria Breugelheem (bij **[4]**): Dorpsstraat 17, 3990 Grote-Brogel, ☎ 011 63 37 21, juli-aug. weekdagen vanaf 14.00 u, zo. vanaf 11.00 u, sept.-juni weekdagen vanaf 19.30 u, di. en za. vanaf 14.00 u, zo. vanaf 11.00 u.
- Café - Eet- & koffiehuis 't Kerkpleintje (bij **[5]**): Reppelerweg 181, 3950 Reppel, ☎ 089 46 40 62, fax 089 46 40 62, ma.-di. gesloten, wo.-za. vanaf 14.00 u, zo. vanaf 11.00 u, restaurant wo.-za. 18.00-21.00 u, zo. vanaf 11.00 u.
- De Watermolen (voorbij **[5]**): Monshofstraat 9, 3950 Reppel, ☎ 089 46 90 00, fax 089 46 14 58, www.de-watermolen.com, info@de-watermolen.be.
- Meerdere gelegenheden op de markt van Peer.

DE WANDELTOCHT

1 2 Kijkend naar de **kerk van Peer [1]** neem je links ervan de Kerkstraat en aan de achterzijde sla je links het Kattestraatje in. Je steekt over naar de Bokterstraat, je duikt de tunnel onder de omleidingweg in en je vervolgt de weg langs de watertoren. Je steekt voorzichtig de weg naar Kleine-Brogel over naar Op de Kippen en je negeert de doodlopende afslag rechts. Wat verder gaat de weg haaks links verder en aan de Maarlosedijk vervolg je rechtdoor. Dat doe je ook aan de ingang van de vliegbasis en zo kom je aan de **Wittertstraat [2]**.

2 3 Je gaat links naar fietsknooppunt 06 maar op het einde kies je de grindweg links. 250 m verder sla je rechts een bosweg in, doorheen een smalle bosstrook. Aan de omheining rond het vliegveld, volg je de grindweg naar rechts, om 70 m verder links een zandweg langs de omheining te volgen. Waar kogelgevaar dreigt, sla je rechts een zandige bosweg in. Je houdt steeds rechtdoor aan en zo bereik je de hoeve die je op wandeling 2 passeerde. Je vervolgt de asfaltweg, tot je links de afslag in de Oude Weyerstraat neemt. Je passeert de schuttersgilde en waar het asfalt links afbuigt, stap je rechtdoor langs de bosrand. Naar het einde buigt de zandweg naar rechts en aan de T-sprong ga je rechts verder. De eerste afslag links is de jouwe. Je steekt in een open ruimte twee beken over en in het daaropvolgende bos bereik je de **viersprong van boswegen [3]** waar de uitbreiding rechtdoor gaat.

3 4 Het gewone traject buigt rechts een zandige bosweg in. Je verlaat het bos en aan het kruispunt met het kapelletje, kun je links uitrusten in een restaurant of de cafetaria van manege Breugelhof. De wandeling gaat rechts verder over een asfaltweg. Juist voorbij de Broekbeek volg je links een aardeweg. Op het einde sla je links de asfaltweg op en aan de viersprong met weerom een kapelletje, ga je rechtdoor. Op het einde van de Oude Weyer volg je de grote weg naar rechts en je verlaat die voorbij huisnummer 42 voor een oprit van rood grind. Die gaat over in een dolomietpad en een streepje asfalt brengt je op een rotonde. Je gaat schuin rechts de Kleine Dorpsstraat in naar de **kerk van Grote-Brogel [4]**.

4 1 De wandeling gaat rechts verder over een klinkerweg. Op het einde volg je de Smeetshofweg naar links. Je negeert de Broekkantstraat, maar aan een kapelletje sla je rechts de Waardhofweg in. Je nadert de grote gelijknamige hoeve en je gaat rechts verder. Na wat bochtenwerk bereik je een grote weg. Je steekt die voorzichtig over naar de grindweg en aan de T-sprong met rustbank, ga je links. Je bereikt de grote weg opnieuw. Je volgt die naar rechts en na 350 m ben je blij hem te kunnen ruilen voor de grindsporen schuin

links. Je negeert een aardeweg rechts, je steekt de Maarlosebeek over en na een haakse bocht naar rechts, volg je de grindweg naar links. Je wandelt langs een bosrand en grind gaat over in asfalt. Je negeert de Monsheide en voorbij de hoogspanningsleiding houd je links aan. Aan de ringweg rond Peer, zoek je rechts de tunnel onder de drukke weg en dan kies je rechts de brede weg naar het centrum van Peer. Je houdt rechtdoor aan bij een langwerpige rotonde aan de vestenring en wat verder draait de weg rechts het marktplein van Peer op. Op het einde, aan het roze gebouw, ga je links naar de **kerk van Peer [1]**.

UITBREIDING

3 5

Aan de **viersprong in het bos [3]** bewandel je rechtdoor de brede zandweg. Je steekt de betonweg naar Kaulille over naar een stenige aardeweg. Die loop je tot het einde af en je vervolgt de asfaltweg rechtdoor. Waar die 400 m verder haaks rechts afbuigt, stap je rechtdoor de zandweg op. Op het einde ga je rechts verder, eerst door bos en dan in open veld. Waar je opnieuw aan een bos komt, ga je onmiddellijk links over een aardeweg. Aan Sloerodoe ga je haaks rechts en op de grote weg doe je dat opnieuw. 50 m verder, kies je schuin links een zandige aardeweg. Op het einde ga je links langs de bosrand en onmiddellijk rechts een zandige bosweg in. Dwars doorheen het bos bereik je voetbalvelden. Je volgt er de asfaltweg naar links, je loopt die volledig af en je stevent af op de **kerk van Reppel [5]**.

5 4

Juist voor de grote weg neem je rechts de Monshofstraat langs de Watermolen. Aan het Hiepkenshof houd je rechtdoor aan richting knooppunt 06. Bij een afslag rechts, stap je rechtdoor tussen de gebouwen. Asfalt maakt plaats voor een vergrindde aardeweg en op het einde, op de hoek van een bos, buig je naar rechts een zandweg in. Aan de asfaltweg ga je links tot een viersprong. Daar kies je schuin links naar fietsknooppunt 01. Voorbij een groeve en een open plek, duik je weer bos in. 20 m verder zoek je rechts een zandweg (rode driehoek). Je houdt rechtdoor aan en voorbij het bos wandel je op asfalt. Op het einde volg je de Reppelerweg rechtdoor en aan het volgende kruispunt doe je dat opnieuw. 50 m verder sla je links de parking langs de school in en bereik je de **kerk van Grote-Brogel [4]**. Je gaat de hoofdstraat rechts in en aan de Kleine Dorpsstraat eindigt de uitbreiding. Je volgt rechtdoor de klinkerweg.

4. Borgloon

DRIE DAGEN DOOR 'S LANDS

Haspengouw is zo puur en zo magisch. Hier kun je genieten van rust en ruimte.

Borgloon doet net als Sint-Truiden denken aan fruit en dat zal je geweten hebben, als je deze drie prachtige wandelingen in en rond de hoofdstad van het graafschap Loon volbracht hebt. Tussen duizenden hectaren laagstambomen zul je tot rust komen. In het voorjaar kun je genieten van de prachtige bloesems, in het najaar zal een gesprekje met een fruitboer wellicht leiden tot een stuk fruit. Onderweg verken je kleine dorpjes met machtige vierkantshoeven en kastelen. In de vallei van de Herk zoek je enkele prachtige natuurgebieden op. Uiteraard staat ook het centrum van Borgloon op het menu.

GROOTSTE FRUITSTREEK

Onze logiestips: **Kasteelboerderij de Kerckhem** is een typische hoeve van rond 1700 en voorzag vroeger in de levensbehoeften van de kasteelbewoners van Wijer. Vandaag vindt Tessa Van Dam Merrett het heerlijk om in de grote keuken samen met de gasten het avondmaal te bereiden. Zalig! Het **kasteel van Rullingen** is met grote zorg gerestaureerd en heringericht als luxueus hotel-restaurant. 'Het accent ligt hier vooral op de gastronomie, we hopen binnenkort een Michelinster te krijgen,' zegt Cees van Corler.

Onze wandeltips: Op de rand van Droog- en Vochtig-Haspengouw loopt de wandeling door de vallei van de Herk. Je leert wat broekbeemden zijn en een bezoekje aan de abdij Mariënlof is mooi meegenomen. De tweede wandeling naar Mettekoven brengt je langs de Tjenneboom. De 'heks' Tjenne werd hier ooit levend verbrand. De laatste wandeling toont je enkele onooglijke Haspengouwse dorpjes in al hun welvaart. Fruitboomgaarden zijn de rode draad tijdens deze driedaagse.

Hollandse charme

KASTEELBOERDERIJ DE KERCKHEM

Tessa Van Dam Merrett en Erik Feldhaus van Ham woonden en werkten tot in de jaren negentig in Nederland. Erik had genoeg van de drukte en de files en kon Tessa overtuigen om hun geluk elders te zoeken. Ze hebben er jaren over gedaan om hun geschikte plek te vinden, tot ze in 1996 bij het bezoek aan een rommelmarkt in Tongeren Haspengouw ontdekten.

Voor Erik ging een nieuwe wereld open: "Haspengouw is zo puur en zo magisch. Het is opmerkelijk dat tussen de grote verkeersassen nog zoveel ruimte, rust en natuur is". Ook Tessa zag het meteen zitten, vooral toen ze een grote kasteelboerderij zagen die te koop stond. "We waren klaar om een nieuw avontuur te beginnen. We zouden de vervallen boerderij restaureren om er een bed & breakfast te beginnen en ik zou tegelijkertijd mijn vak van bloemschikken voortzetten." Het is een avontuur geworden, want de driehonderd jaar oude boerderij diende volledig vernieuwd te worden – en daar zijn ze lang zoet mee geweest. Uit respect voor het gebouw en de omgeving wilden ze zo veel mogelijk de oorspronkelijke staat behouden, maar het interieur toch aanpassen aan het comfort van vandaag. De typische boerderij van rond 1700 hoorde bij het nabijgelegen kasteel van Wijer en moest voorzien in de levensbehoeften van de kasteelbewoners.

De bijzondere eetzaal wordt wegens de monumentale schouw, de grote houten tafel en de warme kleuren in de decoratie de ridderzaal genoemd.

De meeste gebouwen zijn ondertussen gerestaureerd. In het hoofdgebouw geeft Tessa cursussen in de grote ateliers. Daarnaast bevindt zich de bijzondere eetzaal, die wegens de monumentale schouw, de grote houten tafel en de warme kleuren in de decoratie de ridderzaal genoemd wordt. In de grote keuken vindt Tessa het

Kasteelboerderij De Kerckhem, Grotestraat 209, 3850 Wijer-Nieuwerkerken
+32 (0)11 59 66 20, info@dekerckhem.com, www.dekerckhem.com
naargelang de kamer: 70 - 90 euro per nacht per kamer, inclusief ontbijt.

heerlijk om samen met de gasten het avondmaal te bereiden. Beide ruimtes komen uit op het terras waar het aperitief geserveerd wordt met uitzicht op de weidse landerijen en de bossen. De drie ruime gastenkamers met badkamer bevinden zich in de vroegere schuur in een bijgebouw.

Ondertussen zijn Tessa en Erik ingeburgerd in België: "Ondanks de nabijheid zijn er zo veel verschillen tussen Nederland en België. Ons taalgebruik is directer en dat heeft mij hier in het begin parten gespeeld. Maar het is fijn dat mensen hier elkaar op straat nog groeten en écht in elkaar geïnteresseerd zijn. Belgen genieten ook veel meer, het volstaat al het aanbod van een Belgische en een Nederlandse supermarkt te vergelijken."

Die Belgische trekjes werken duidelijk aanstekelijk, want ondertussen organiseert Tessa ook al kookcursussen om vooral kleine groepen samen te laten koken met de ingrediënten van de streek.

Limburgse adel

HOTEL KASTEEL VAN RULLINGEN

Geen gebrek aan kastelen in Borgloon, de gemeente telt er liefst twaalf op haar grondgebied. Ze herinneren aan het rijke verleden van de graven van Loon en het prinsbisdom Luik. Een ervan, het kasteel van Rullingen, is met grote zorg gerestaureerd en heringericht als luxueus hotel-restaurant. Het maakt deel uit van het Provinciaal Domein Rullingen, een natuurgebied met veertien hectare bos, glooiende weilanden en akkers.

Het slot dateert uit de zeventiende eeuw en is gebouwd in Maaslandse renaissancestijl. Ondanks verbouwingen en restauraties lijkt het U-vormige kasteel met uitspringende robuuste toren en slotgracht nog steeds uit een sprookje te komen. Bij de laatste renovatie hield men rekening met de historische authenticiteit, zodat het kasteel opnieuw een adellijke voornaamheid uitstraalt.

Sinds enkele jaren leidt Cees van Corler het hotel-restaurant; hij deed ervaring op in tal van toprestaurants. "Het accent ligt vooral op de gastronomie, daarom noemen we het hier een hotel-restaurant. We streven niet naar spektakel, wel naar culinair genot en verfijning met dagverse producten. We hopen binnenkort een Michelinster te krijgen." De gerechten worden opgediend in vijf intieme en romantische zaaltjes versierd

We streven niet naar spektakel, wel naar culinair genot en verfijning met dagverse producten.

Kasteel van Rullingen, Rullingen 1, 3840 Borgloon
+32 (0)12 74 31 46, info@rullingen.com, www.rullingen.com
naargelang de kamer 100 - 245 euro per nacht per kamer, ontbijt: 15 euro per persoon. Gastronomische arrangementen vanaf 108 euro per persoon.

met achttiende- en negentiende-eeuwse etsen en schilderijen. In de oranjerie genieten de gasten niet alleen van het uitzicht op het charmante landschap, maar kunnen de liefhebbers ook hun keuze maken uit Davidoff-sigaren. De rest van het kasteel is voorbehouden voor niet-rokers.

Het hotel telt zestien charmekamers die klassiek ingericht zijn en waarvan er elf volledig vernieuwd zijn. In de nabijgelegen kasteelboerderij werden onlangs nog eens acht moderne kamers geopend. Zowel in het kasteel als in de boerderij beschikken de kamers over badkamer, tv, radio en minibar.

Rond het kasteel ligt een Franse geometrische tuin en een unieke hoogstamboomgaard met tientallen variëteiten kersen, peren en pruimen. Voor het kasteel strekt zich een weide uit voor Arabische volbloedpaarden. Jaarlijks wordt hier de *El Ran Arabian Cup* georganiseerd. Voor actieve vakantiegangers stelt het hotel fietsen en wandelkaarten ter beschikking.

Het kasteel van Rullingen heeft ook de ambitie om een *château* te worden; dit jaar starten de eigenaars met de aanplanting van een wijngaard met vijfduizend stokken pinot gris en pinot blanc. Met een beperkte eigen productie wil men de eigenzinnige wijnkaart vervolledigen.

Ondanks de voornaamheid van het kasteel en de inrichting zorgen de hartelijkheid van de medewerkers en de kleinschaligheid voor genoeg intimiteit voor gasten die rustig willen genieten van verfijnde gerechten en de natuur in de omgeving.

Borgloon praktisch

Wandeling 1 leidt je door de vallei van de Herk naar Wellen. Naar Mettekoven zoek je op wandeling 2 de bovenloop van deze beek op. Tijdens wandeling 3 steek je het golvende plateau tussen Herk en Jeker over. Je geniet er nagenoeg ononderbroken van prachtige vergezichten. Op deze wandeling bezoek je Borgloon. Fruitboomgaarden zijn de rode draad tijdens deze driedaagse.

ALTERNATIEVEN

Kies je voor Kasteelhoeve De Kerckem in Wijer-Nieuwerkerken, ga dan telkens over Kozen, Kortenbos, Zepperen, Rijkel en Gotem naar het kasteel van Rullingen (20 km).

BEOORDELING

De wandelingen verlopen in een golvend landschap waar de Herk zich in het Haspengouws Plateau ingesneden heeft. In enkele natuurgebiedjes wandel je over bos-, aarde- en graspaden. Betonnen verkeersvrije ruilverkavelingswegen maken deel uit van het traject. Enkele drukke grotere wegen moeten met de gepaste voorzichtigheid overgestoken worden. Je kunt de wandelingen in elk seizoen doen. In het voorjaar zijn de boomgaarden getooid met bloesems. Na regenweer kunnen de broekbeemden rond Wellen er drassig bij liggen.

HOE KOM JE ER?

MET DE TREIN Voor deze bestemming is de wagen aan te raden. Met de trein kun je tot Sint-Truiden (lijn Landen-Hasselt) of Tongeren (lijn Hasselt-Luik). Daartussen rijden bussen over Borgloon.

MET DE AUTO Het kasteel van Rullingen bereik je door de E40 te verlaten bij afrit 28-Walshoutem en de N80 naar Sint-Truiden te nemen. Daar neem je de N79 richting Tongeren. 9 km verder – ter hoogte van Gotem – wijzen wegwijzers je links naar het kasteel. Kom je over de E313, neem er dan de afrit 29-Hasselt-Oost of 30-Diepenbeek. Over Kortessem (N76 of N20) en Wellen (N777) rijd je over de N754 naar Borgloon. Daar volg je de N79 richting Sint-Truiden tot 1 km verder een wegwijzer je rechts naar het kasteel brengt.

KAARTEN

NGI topografische kaart 1/25.000, nr. 33/3-4 (Alken - Kortessem) en 33/7-8 (Heers - Borgloon).

INFORMATIE

- Toerisme Borgloon: Stadhuis, Markt, 3840 Borgloon,
  ☎ 012 67 36 53, fax 012 67 36 55, www.borgloon.be, toerisme@borgloon.be.
- Dienst Toerisme Wellen: Dorpsstraat 25, 3830 Wellen,
  ☎ 012 67 07 10, www.wellen.be, toerisme@wellen.be.
- Toerisme Heers: Administratief Centrum, Paardskerkhofstraat 20, 3870 Heers,
  ☎ 011 48 01 21, fax 011 48 01 19, georgetten.gielen@heers.be.

HASPENGOUW

Het zuidelijk deel van de provincie Limburg vormt samen met de gebieden net over de taalgrens, een van de vruchtbaarste landbouwstreken van het land: Haspengouw. Wie zin heeft voor ruimtelijke verschillen, weet dat er een Droog- en een Vochtig-Haspengouw bestaat. Het eerste ligt aan beide zijden van de taalgrens en bestaat uit een golvend plateau van eindeloze akkercomplexen met majestueuze vierkantshoeven. Het meer noordelijk gelegen Vochtig-Haspengouw dankt zijn naam niet aan eventuele hogere neerslaghoeveelheden, maar wel aan de diep ingesneden beekvalleien met natte beemden. Deze zijn meer geschikt voor veeteelt dan voor akkerbouw. Leembodems overheersen overal en hebben de boeren sinds de Middeleeuwen geen windeieren gelegd. De boeren zetten hun welvaart om in prachtige vierkantshoeven en zelfs kastelen. Ieder dorp bestaat uit een kerk die centraal staat, met een kern van geconcentreerde bewoning en enkele grote hoeven. Vaak vind je dichtbij ook een kasteel.

Borgloon

Ulbee
Berlingen
N777
N79
Herk
Groot-Gelmen
Mettekoven
Klein-Gelmen
Gu

WELLEN
Oude Beek
Herten
N754
Kuttekoven
Kerniel
teel van Rutlingen
N76
BORGLOON
Jesseren
Hendrieken
Haren
Groot-Loon
ort
Bommershoven
N79
Piringen
Broekom
N784
0
520 m
2.600 m
Borgloon

1. Wellen

NATUUR- EN CULTUURLANDSCHAPPEN LANGS DE HERK

Deze wandeling voert je door de vallei van de Herk op de rand van Droog- en Vochtig-Haspengouw. Je maakt kennis met de broekbeemden langs de rivier, maar ook met de abdij Mariënlof en de uitgestrekte boomgaarden aan de rand van de alluviale vlakte. Naar het einde passeer je Oetersloven: amper zes huizen en een grote kapel, reeds in 1187 een gebedshuis voor kruisvaarders rond een kluizenaarswoning. Het vormt een intact authentiek Haspengouws gehucht.

AFSTAND 10,8 km, met uitbreiding Kerniel 16,9 km, met uitbreiding Grote Beemd 13,7 km, met beide uitbreidingen 19,8 km (rood).
VERTREK Kasteel van Rullingen
AARD VAN DE WEG Aardewegen en verkeersarme asfaltwegen.
TOEGANKELIJKHEID Mogelijk voor buggy's behalve na regenval; hier en daar dienen honden aan de leiband en zijn zelfs verboden in de Broekbeemd voorbij **[4]**.
ETEN & DRINKEN

- Meerdere mogelijkheden aan de kerk van Wellen **[4]**.

DE WANDELTOCHT

1 – 3 Je verlaat het **kasteel van Rullingen [1]** en je volgt rechts de kasseiweg die voorbij de Rullingenbeek in beton overgaat. Aan het kruispunt kies je rechtdoor. Na een S-bocht en twee kleinere bochten bereik je tussen perenbomen de **splitsing op het Keelveld [2]**. De uitbreiding langs Kerniel gaat rechts de perenboomgaard in. Je vervolgt je weg en 600 m verder bereik je een afslag bij het **begin van Herten [3]**.

3 – 4 Je gaat er rechtdoor, aan de grote weg kies je links en juist voorbij de Herkbrug neem je rechts de grindweg langs de beek. Aan de visvijver blijf je getrouw de Herk volgen, ook voorbij een brug. Plots moet je de oever verlaten voor een aardepad dat in een knuppelpad overgaat. Bij enkele poelen en een houten klaphek wandel je rechts verder. Voorbij de beek sla je links de klinkerweg in naar de **kerk van Wellen [4]**.

4 – 5 Je gaat er links en waar het plein eindigt, start de uitbreiding van Wellen naar rechts. Het gewone traject gaat links door de hoofdstraat. Tussen de huisnummers 34 en 40 neem je links de brede grasstrook (GR-tekens) die overgaat in een bosweg. Voorbij het bos kom je in ruig grasland, je passeert infoborden en enkele klaphekken waarbinnen zich hooglandrunderen ophouden. Juist voor je op een links afbuigende modderige aardeweg belandt, ga je haaks rechts langs een gracht. Je gaat de brede asfaltweg rechts op en voorbij huisnummer 34 kies je het grindpad links. Op het einde volg je het asfaltweggetje naar links. Je dwarst een brede rijweg en voorbij tuinen kom je aan een **vijfsprong [5]** tussen de boomgaarden.

5 – 6 Je kiest er schuin links voor de aardeweg. Je houdt rechtdoor aan en na 750 m steek je de betonweg naar Ulbeek over. Steeds rechtdoor stappend tussen eindeloze boomgaarden, beland je na 1,7 km op een T-sprong bij de grens van Berlingen. Je volgt er de betonnen Oeterslovenstraat naar links. Aan de **kapel van Oetersloven [6]** sla je rechts af.

6 – 1 Asfalt maakt snel plaats voor grind. Waar je de kerk van Borgloon aan de einder ziet, buigt de grindweg rechts af door een holle weg. Je volgt de rijweg even naar links om snel een asfaltpad rechts te kiezen. Het brengt je in de **hoofdstraat van Berlingen [7]** die je rechts volgt tot die in een haakse bocht rechts afbuigt. Hier neem je de smalle asfaltweg links. Je daalt af naar de vallei van de Herk. Aan de T-sprong vervolg je naar links. Je steekt de Golmeerzouwbeek en de Herk over, passeert een vervallen kapel en je bereikt doorheen een holle weg een viersprong met een rustbank. Je neemt de aardeweg haaks links, na 350 m buig je rechts mee en bij een wijn-

gaard steek je de grote weg over naar het **kasteel van Rullingen [1]**.

UITBREIDING KERNIEL

2 8

Aan de **splitsing op het Keelveld [2]** ga je schuin rechts de perenboomgaard in. Na een bocht beland je op een tweesporengrindweg. Op het einde volg je de weg Wellen-Borgloon 150 m naar rechts om dan schuin links een kasseiweg in te slaan. Die mondt uit in de drukke Sittardstraat die je links opgaat. Aan het gemeentebord van Kerniel sla je rechts een asfaltweg in. Asfalt maakt plaats voor aarde en voorbij de Vilsterbeek klim je over een grindweg naar de abdij Mariënlof. Je rondt twee hoeken van de muur naar de ingang van het klooster toe. Voor het eerste gebouw kies je rechts een grindpad dat afdaalt naar een beekje en naar het centrum van Kerniel leidt. Aan de treurwilg met rustbank wandel je rechtdoor de asfaltweg op. Op de T-sprong voorbij de **kerk [8]** volg je de asfaltweg naar links.

8 3

Na 1,1 km vervolg je aan de kapel schuin links naar de Habrouckstraat. 50 m voorbij de beek van daarnet verlaat je die voor een vergrindde aardeweg rechts. Je houdt steeds rechtdoor aan en na 1 km bereik je opnieuw de weg Wellen-Borgloon. Je steekt schuin rechts over naar de aardeweg. Je houdt rechtdoor aan en op het einde van de holle weg eindigt de uitbreiding op een T-sprong bij het **begin van Herten [3]**. Je gaat er rechts.

UITBREIDING GROTE BEEMD

4 9

Op het einde van het **kerkplein van Wellen [4]** neem je rechts de Stokstraat. Op het einde volg je de grote asfaltweg naar rechts en 50 m verder verlaat je die voor de doodlopende Bamptweg links. Asfalt maakt plaats voor grind en voorbij een infobord vind je zelfs kasseien. Je volgt getrouw de weg langs de Oude Beek (GR-tekens). 600 m voorbij het infobord moet je schuin links meebuigen, je dwarst een ander pad en wat verder buig je weer rechts mee (GR-tekens nauwlettend volgen). 200 m verder buigt de weg haaks naar rechts en juist voor de Oude Beek kies je de grasweg links. Steeds rechtdoor langs de beek bereik je uiteindelijk een **betonweg [9]**.

9 5

Je volgt die naar links en 200 m verder kun je die gelukkig ruilen door voor de Herkbrug links een tweesporengrindweg te nemen langs de beek. Je negeert de bruggetjes bij een openluchtzwembad en bij een huis. 500 m voorbij het huis moet je een schapenweide door en voorbij het tweede hek steek je de Herk over en stap je verder over de asfaltweg. Huisnummer 2 is een mooi vakwerkhuis uit 1856. Op het einde van de Zakstraat ga je even rechts om voorbij huisnummer 13 links een verharde aardeweg in te slaan. Die brengt je naar een **vijfsprong tussen de boomgaarden [5]**, waar het gewone traject van links komt. Je gaat er schuin rechts een aardeweg in.

2. Mettekoven

OP ZOEK NAAR RUST EN UITZICHTEN

Richting Mettekoven verken je de bovenloop van de Herk. Het nietige dorpje is het begin van twee uitbreidingen doorheen een geslaagde symbiose van natuurherstel en ruilverkaveling. Grindpaden en ruilverkavelingswegen leiden je langs en door de vallei van de Herk naar Klein-Gelmen. Op het plateau reikt het uitzicht tientallen kilometers ver tot kasteel Hulsberg dat -gelegen op het hoogste punt van de streek- waakt over Borgloon. Hier ben je ver van alle verkeersdrukte.

AFSTAND 13,6 km, verkorting 9,4 km, met uitbreiding Klein-Gelmen 17,3 km, met uitbreiding Veulen 18,0 km, met beide uitbreidingen 21,7 km (paars).
VERTREK Kasteel van Rullingen
AARD VAN DE WEG Aarde- en grindwegen en verkeersarme asfaltwegen.
TOEGANKELIJKHEID Mogelijk voor buggy's behalve na regenval.
ALTERNATIEVEN Wil je alleen de lussen in Mettekoven afstappen, ga dan over Berlingen, Hoepertingen richting Groot-Gelmen. Bij het binnenrijden van Groot-Gelmen sla je links af naar Mettekoven. De lus Klein-Gelmen **[4]**-**[7]**-**[4]** bedraagt 3,7 km, de lus Veulen-Jennesboom **[4]**-**[8]**-**[5]**-**[3]**-**[4]** 8,6 km, de korte lus Jennesboom **[4]**-**[5]**-**[3]**-**[4]** 4,2 km.
ETEN & DRINKEN

- Taverne Martenshof (bij **[4]**): Mettekovenstraat 2, 3870 Heers-Mettekoven, 011 48 22 20, 011 23 56 40, www.martenshof.be, Aerts.Bjorn@Belgacom.net, ma. gesloten behalve juli-aug.

DE WANDELTOCHT

1 3 Je verlaat het **kasteel van Rullingen [1]** en je slaat de kasseiweg links in. Je steekt de grote weg over naar de aardeweg langs de wijngaard. 250 m verder buig je links mee en het gaat bergop tot de **viersprong [2]**. Je volgt de asfaltweg rechtdoor richting fietsknooppunt 161. Een brug leidt over de voormalige spoorlijn Sint-Truiden-Tongeren. Je steekt de grote weg voorzichtig over naar de Gotemstraat. In de bocht verlaat je die voor een kasseiweg rechts. Je steekt een beek over en waar de kasseien in beton overgaan, sla je schuin rechts een betonweggetje in. Op het

einde volg je de brede betonweg naar links. Na 450 m kies je rechts de betonweg richting knooppunt 161. Je negeert de betonnen afslag naar rechts, beton gaat over in grind en door een holle weg bereik je een **viersprong met een GR-boom [3]**.

3 4

Je verkort hier de wandeling door links te gaan richting **[6]** (zie verder in deze beschrijving). Het hoofdtraject volgt de tweesporenbetonweg naar rechts langs het monument (richting Sint-Truiden). Je negeert achtereenvolgens een betonweg links (boomkapelletje), een aardeweg links, een betonweg rechts en 800 m voorbij het monument sla je links een grindweg in. Je volgt de oranje bollen tot Mettekoven. Daartoe moet je 150 m verder rechtsaf, door een hek en verder meerdere andere hekken, tweemaal een zigzagbeweging makend met tussenin een uitkijktoren. Voorbij de laatste zigzag steven je af op het **kerkplein van Mettekoven [4]** waar twee uitbreidingen gepland zijn.

4 5

Het hoofdtraject gaat links en volgt voor het Martenshof de betonnen Bergstraat. Voorbij Kunst- en Groengalerij De Plantage verlaat je de wegdraaiende weg door rechtdoor het grindpad bergop door een holle weg te nemen (volg de oranje bollen tot **[3]**). Het grindpad maakt een haakse bocht naar rechts en voorbij een hek beland je op een T-sprong, waar je links de bosweg met houtsnippers bergaf neemt doorheen een holle weg. Uit het bos gaat het verder over een verharde grindweg tot een **haakse linkse bocht [5]** waar de Veulense uitbreiding onbegrijpelijk genoeg uit het veld komt.

5 6

Er volgt opnieuw een haakse bocht naar links en dan buigt het pad rechts af door een holle weg. Onderweg leiden trappen naar een picknickplaats met mooi uitzicht. Je vervolgt rechtdoor en eenmaal boven stap je rechtdoor en op de T-sprong gaat het rechts tot de **viersprong met een GR-boom [3]**. Hier stap je rechts richting Aachen. Na 200 m heb je aan de Jennesboom een mooi uitzicht op Borgloon. Je dendert nu op de tweesporenbetonweg een holle weg af. Aan het rondpunt ga je rechtdoor over de brede betonweg. Links staat een kasteel, je steekt een beek over en aan de kapel buig je links af. Aan huisnummer 8 verlaat je de brede weg voor de Kalenberg schuin links. Je dwarst de Motbeek. Aan een **vijfsprong in Gotem [6]** houd je schuin rechts de asfaltweg aan.

6 1

Je steekt de grote weg over richting Kuttekoven. Na 200 m kies je links naar het kasteel, maar waar de weg 100 m verder rechts wegdraait, ga je toch de aardeweg rechtdoor in. Je bereikt de reeds bekende **viersprong [2]**. Je gaat dus rechts de aardeweg op, na 350 m buig je rechts mee en bij de wijngaard steek je de grote weg over naar het **kasteel van Rullingen [1]**.

UITBREIDING KLEIN-GELMEN

4 → 7 Aan het **kerkplein van Mettekoven [4]** volg je de betonweg langs de kerk. Je negeert de afslag naar links, wandelt over de (Veulense) Beek en de Herk. Voorbij het waterzuiveringstation neem je links het grindpad. 600 m verder zoek je links enkele trappen (wegwijzer bron) en over een aardepad door een bos bereik je de Herk. Je volgt er rechts de grindweg op de oever. Aan de rijweg ga je links en je wandelt naar de **kerk van Klein-Gelmen [7]**.

7 → 4 Aan het kruispunt voor de kerk kies je de doodlopende asfaltweg links. Deze gaat over in grind en versmalt verder. Enkele zigzagbewegingen brengen je terug naar de waterzuiveringsinstallatie. Je volgt er de weg naar rechts. Voorbij de (Veulense) Beek sla je rechts de Schildstraat in naar het **kerkplein van Mettekoven [4]**.

UITBREIDING VEULEN

4 → 8 Op het **kerkplein van Mettekoven [4]** neem je aan het Martenshof de kasseiweg (rode driehoek). Kasseien gaan over in beton en je volgt de rode driehoeken naar rechts. Op het vergrindde aardepad staan nogal wat hekken en ga je zigzag, maar het klimt vooral. Boven aan de rustbank heb je een mooi uitzicht over Mettekoven. Een zoveelste hek brengt je in een wei, je steekt die over naar het volgende hek. Daarna verlaat je de rode driehoeken en klim je links langs het pad de helling op. Boven op de T-sprong ga je rechts (rode driehoek). Na een zigzag ben je boven op het plateau en vervolg je een betonweg. Het uitzicht naar links reikt tot Borgloon. Op het einde bereik je Veulen. Aan de vijfsprong verlaat je de rode driehoeken en je gaat haaks links. Op het volgende kruispunt staat de grote **kapel van Veulen [8]** uit 1765.

8 → 5 Je neemt de asfaltweg naar links. Hij gaat over in beton en op de T-sprong in de velden wandel je rechts de grindweg af. Aan de volgende afslag wordt beton onder de voeten geschoven. Het gaat nu rechtdoor. Een brede betonweg wordt gedwarst en plots eindigt de weg in een veld. Geen nood. Je stapt rechtdoor verder langs de houtkant en 50 m verder sta je in een **haakse bocht [5]** van een wandelpad. Hier eindigt de uitbreiding en stap je rechtdoor verder.

3. Bommershoven

TUSSEN HERK EN MOMBEEK

Vandaag staat een handvol kleine Haspengouwse dorpjes op het programma. Velen tellen slechts enkele honderden inwoners, maar de rijkdom van de streek heeft ervoor gezorgd dat ze heel welvarend zijn. Doorheen een golvend landschap met weidse vergezichten verken je het Haspengouws Plateau tussen de Herk en de Mombeek. Onderweg passeer je vierkantshoeven, kastelen en boomgaarden. Op de terugweg breng je een bezoek aan Borgloon, eertijds hoofdplaats van het graafschap Loon.

AFSTAND 18,5 km, verkorting 11,9 km, uitbreiding 23,8 km (oranje).
VERTREK Kasteel van Rullingen
AARD VAN DE WEG Aarde- en grindwegen en verkeersarme asfalt- en betonwegen.
TOEGANKELIJKHEID Mogelijk voor buggy's behalve 500 m op de uitbreiding (buggy dragen).
ETEN & DRINKEN

- Meerdere mogelijkheden op het Speelhof in Borgloon **[9]**.

DE WANDELTOCHT

1 3 Je verlaat het **kasteel van Rullingen [1]** en je slaat de kasseiweg links in. Je steekt de grote weg over naar de aardeweg langs de wijngaard. 250 m verder buig je links mee en het gaat bergop tot een **viersprong [2]** waar je links gaat. In de flauwe bocht naar links stap je rechtdoor over de gracht en in de boomgaard volg je de grindweg links. Je wandelt de grote weg links op en aan het gemeentebord kies je rechts de asfaltweg die in gras overgaat. Aan de vijfsprong neem je de aardeweg links langs kasteel Hulsberg. Rechtdoor aanhoudend wandel je naar de moderne **kerk van Hendrieken [3]**.

3 4 Je steekt er over naar een asfaltweg en voorbij de Motbeek maakt asfalt plaats voor kiezel. Op het einde sla je rechts af en op de T-sprong volg je de grindweg naar links. Je wandelt nu steeds rechtdoor, onderweg dwars je een grote weg, een viersprong onder de hoogspanningsleiding, een afslag links, een rechts en opnieuw een viersprong (rechts privaat). Het laatste deel is nu waarschijnlijk verhard. Na 2 km bereik je een **viersprong [4]** waar je kunt inkorten.

4 6 Het hoofdtraject volgt de grindweg rechts onder de hoogspanningsleiding door. Je steekt een kruispunt van aardewegen over en wandelt aan de volgende splitsing naar de linker bosrand. Langs en door het bos passeer je een heuveltje met uitzicht tot de koeltorens van de elektriciteitscentrale van Sledderlo. Uiteindelijk kom je aan een rijweg die je links volgt naar de **kerk van Bommershoven [5]**. Aan de T-sprong voorbij het kasteel vervolg je naar links en aan huisnummer 69 draai je rechts de Boomstraat in. Aan huisnummer 84 kies je de Wilderstraat. Je steekt de grote weg schuin links over en voorbij een hoeve leidt kiezel je naar een **afslag aan een bos [6]**.

6 7 De uitbreiding begint rechts, het hoofdtraject gaat rechtdoor en steekt de Marmelbeek over. Aan de viersprong kies je de aardeweg naar links. 600 m verder herhaal je dit. Juist voor de grote weg ga je rechts de aardeweg onder de bomen in. Die versmalt in een holle weg en waar je niet verder kunt moet je rechts steil de helling op en je vervolgt langs de houtkant tot een **viersprong bij boomgaarden [7]**.

7 8 Hier stap je links een dalende grindweg af naar de grote weg die je even links volgt om rechts de Kleine Veldsteeg te nemen. De steile kasseiweg leidt naar een T-sprong waar je rechts gaat. Je negeert alle afslagen, je passeert de kerk en 400 m voorbij de kerk neem je links de grindweg bergop. Aan de T-sprong bij de watertoren ga je links en 50 m verder bereik je de **afslag [8]** waar de wandelaars die de verkorte wandeling verkiezen, je tegemoet komen.

KLEINE MAAR RIJKE DORPJES

De fusie Borgloon telt naast de hoofdgemeente nog twaalf kleine dorpen. Samen wonen er nauwelijks 10.000 inwoners. In tegenstelling tot de Kempen met een arme zandige bodem vonden de bewoners hier rijke leembodems. De inkomsten uit de landbouw waren dan ook aanzienlijk en maakten de streek welvarend. Kleine gemeenschappen konden dan ook snel een kerk bouwen en een pastoor onderhouden. De latere gedeeltelijke omschakeling naar de fruitteelt bevestigde deze welvaart. Rationalisatie in de administratie noopte vanaf de zestiger jaren de fusering naar grotere entiteiten. Drie golven (1963, 1970 en 1976) herleidden het aantal gemeenten In Droog-Haspengouw tot een tiende.

8 – 9 Je stapt er rechts en 50 m verder volg je rechts de tekens van de plaatselijke wandeling 2 langsheen de boomgaard. Na een knik gaat het in rechte lijn naar de ringweg rond Borgloon. Je steekt die voorzichtig over naar de parallelle aardeweg. Waar die weer op de ringweg uitkomt kies je rechts het steile grindpad bergaf. Terug boven ga je links om direct rechts de Kortestraat te volgen naar het **Speelhof [9]**.

9 – 1 Je steekt het plein over en verlaat het links door de Papenstraat. Voorbij het stadhuis sla je rechts de Wellenstraat in. Aan huisnummer 26 zoek je links de Astridlaan op en op het einde steek je schuin rechts over naar het Puthofveld. Onmiddellijk neem je rechts een grindweg die in gras overgaat. Enkele zigzaggen verder bereik je een grote weg die je voorzichtig oversteekt naar een grasweg. 50 m verder houd je schuin rechts aan en het aardepad volgt de afgetekende lijn van de voormalige spoorlijn naar Sint-Truiden. Op het einde ga je onder de spoorbrug door en aan de driesprong met kapel vervolg je rechts. Aan kasteelhoeve De Klee wandel je links een grindweg in. Je daalt af en voorbij een holle weg bereik je een viersprong. Je kiest er links de betonweg naar het **kasteel van Rullingen [1]**.

VERKORTING

4 – 8 Aan de **viersprong [4]** kort je in door links te gaan. Na 400 m bereik je **100 m voor de watertoren een afslag [8]**. Hier eindigt de verkorting en je gaat scherp links verder.

UITBREIDING

6 – 10 Aan de **afslag [6]** volg je de aardeweg rechts. Je buigt het bos in en je steekt een beek over. Voorbij het bos komt rechts een grasstrook bij, maar je kiest schuin links het netelige graspad. 500 m verder buigt dat haaks rechts af en door velden gaat het bergop

naar Haren. Op het einde ga je even rechts om dan links de Singelstraat te volgen. Aan de kerk van Haren sla je rechts af en bij huisnummer 16 kies je de asfaltweg links. Voorbij de Molenvijver steek je de Mombeek over en een grindweg duikt het bos in. Je neemt er direct links de steile kasseiweg. Boven volg je de betonweg links. Waar die rechts afbuigt kies je links naar knooppunt 139. Aan de bosrand vervolg je op een voormalige spoorbedding. Je steekt de Mombeek en de Marmelbeek over. Aan het **station van Jesseren [10]** ga je links de rijweg op en aan het kruispunt steek je over naar de Broekstraat.

10 7 Bij huisnummer 64 wandel je rechtdoor een smallere asfaltweg in. Na grind komt aarde, je passeert een monument en 400 m verderop dreig je op een schuine T-sprong uit te komen. Juist er voor neem je echter de aardeweg links en die leidt naar een **viersprong [7]** tussen de boomgaarden. Hier eindigt de uitbreiding en stap je rechtdoor.

5. Diest

DEMER, KEMPEN

Waar je ook wandelt,
hier is rust
je trouwe gezel.

Diest ligt op de grens van drie provincies, waar de Demer de overgang vormt van de zanderige Kempen naar de Hagelandse heuvelrug. Door zijn strategische ligging heeft deze stad een bewogen geschiedenis achter de rug. Nergens in Vlaanderen heeft het huis van Oranje zo veel en zo lang invloed uitgeoefend. Eenmaal buiten de stad kom je in de natuur terecht. Of je nu langs de natte Demerbroeken richting Zichem gaat, of naar het Webbekoms Broek, of tussen de fruitbomen van het Hageland, de rust is je trouwe gezel. De laatste dag ga je op bedevaart naar Scherpenheuvel.

EN HAGELAND

Onze logiestips: B&B Vossendries krijgt vooral fervente tuinfanaten of mensen die de rust opzoeken over de vloer. Achteraan in de tuin ligt een kleine wijngaard. De opbrengst van de oogst is ongeveer 150 flessen witte wijn per jaar en die deelt Firmin graag met de gasten. Voor de Diestenaars blijft het historische gebouw in het centrum 't Spijker heten, maar sinds 2000 is dit pand aan een nieuw leven begonnen als **Hotel The Lodge**.

Onze wandeltips: De drie wandelingen voeren je doorheen drie verschillende gebieden: de Demervallei, de Kempen en het Hageland. De eerste wandeling brengt je langs de oevers van de Demer via het dorp van de 'Heren van Zichem' naar Averbode. Op de terugweg maak je kennis met typisch Kempense landschappen. De tweede wandeling voert je over de eerste Hagelandse ruggen naar Halen. De terugweg brengt je in het mondinggebied van Velp, Gete, Henk en Zwart Water in de Demer. Wandeling 3 is een bedevaart naar de bekende basiliek van Scherpenheuvel.

Bloemen of triatlon?

B&B VOSSENDRIES

Firmin en Chris Verreydt hebben een gemeenschappelijke hobby: tuinieren. In het landelijke Nieuwrode vonden ze een oude boerderij met een grote lap grond en omdat ze allebei in een rustige omgeving wilden wonen, was dit het huis van hun dromen. In hun vrije tijd verbouwden ze de boerderij en legden ze een prachtige tuin aan.

Vijf jaar geleden besloten ze vervroegd met pensioen te gaan en hun huis en tuin te delen met gasten. De kantoorruimte werd verbouwd tot comfortabele gastenkamers. Die bevinden zich in een apart gebouwtje in de tuin, zodat je daar ongestoord van de rust en het groen kunt genieten. Het ontbijt wordt in het hoofdgebouw opgediend, of, als het weer het toelaat, in de tuin.

In de loop der jaren groeide het domein van Chris en Firmin uit tot een verzameling van verschillend 'ingerichte' tuinen die samen een mooi geheel vormen.

Vooral Chris is actief in de tuin: ze bepaalt de aanleg van de bloemperken en zorgt ervoor dat de tuin in elk seizoen op een natuurlijke manier tot zijn recht komt: "Ik houd niet van een tuin die te gekunsteld is. De natuur moet zijn gang kunnen gaan, maar door de juiste beplantingen en de geschikte combinaties van bloemen kun je de natuur een beetje helpen, zodat ze nog mooier wordt".

Voor het ontwerp van hun tuin deed het echtpaar veel inspiratie op tijdens tuinreizen in Groot-Brittannië en in Nederland. In de loop der jaren groeide het domein van Chris en Firmin uit tot een verzameling van verschillend 'ingerichte' tuinen die samen een mooi geheel vormen.

B&B Vossendries, Grootveld 1, 3221 Nieuwrode
+32 (0)16 56 93 24, vossendries@vossendries.com, www.vossendries.com
naargelang de kamer en de periode: 54 - 62 euro per nacht per kamer, ontbijt inbegrepen.

Zo wandel je langs groene struiken, bloemenperken en rozenstruiken om uiteindelijk in een groente- en kruidentuin te belanden. Achteraan in de grote tuin is Firmin een paar jaar geleden begonnen met een kleine wijngaard met siriusdruiven, die per jaar 150 flessen witte wijn opleveren. Firmin is trots op het resultaat: "Een kleine opbrengst, maar elke druppel is met veel liefde gemaakt". Die wijn deelt hij graag met de gasten.

Zoon Karl, een bekend triatlonatleet, wil de zaak graag voortzetten. Voor fietsen en bikes heeft hij alvast in een afgesloten opbergruimte voorzien.

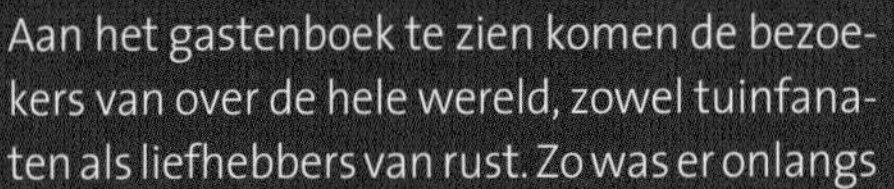

Aan het gastenboek te zien komen de bezoekers van over de hele wereld, zowel tuinfanaten als liefhebbers van rust. Zo was er onlangs nog een Russische professor die *Vossendries* als logies verkoos omdat hij een aantal lezingen aan de Leuvense universiteit moest geven. Dat hij hier kwam logeren, vonden de Russische inlichtingendiensten vreemd, zodat het huis eerst gecontroleerd werd voor de man een uitreisvisum kreeg. *Vossendries* werd uiteraard goed bevonden.

Lodge of spijker?

HOTEL THE LODGE

Tijdens de middeleeuwen bezaten abdijen van buiten Diest refugehuizen binnen de omwalling van de stad. Het waren toevluchtsoorden in tijden van oorlog of onlusten; tegelijkertijd betekenden ze ook een vertegenwoordiging van de abdij in de stad. De refugehuizen waren bovendien opslagplaatsen voor wintervoorraden en werden daarom vaak *spijker* genoemd, afgeleid van het Latijnse woord *spica* (korenaar). Het Spijker van Diest is in de zestiende eeuw gebouwd als refugehuis en graanopslagplaats voor de abdij van Tongerlo. Diest was op dat moment een welvarend centrum; verschillende historische gebouwen in de stad zijn daar vandaag nog het bewijs van.

Sinds 2000 herleeft het pand als *Hotel The Lodge*, maar voor de Diestenaars blijft het historische gebouw in het stadscentrum *'t Spijker* heten. Het werd volledig gerestaureerd en omgebouwd tot charmehotel. De historische gevel werd gerespecteerd, maar de binnenkant is volledig vernieuwd. Door het ranke torentje en de klassieke trapgevels heeft het gebouw meer weg van een romantisch kasteeltje. Bij de

The Lodge, Refudiestraat 23-25, 3290 Diest
+32 (0)13 35 09 35, diest@lodge-hotels.be, www.lodge-hotels.be
naargelang de kamer: vanaf 120 euro per nacht per kamer, ontbijt inbegrepen.

renovatie van het interieur werd er voor een combinatie van historische en moderne elementen gekozen: in de sfeervolle ontbijtruimte en bij de receptie op de begane grond zijn houten vloeren, bakstenen muren en oude balken perfect gecombineerd met designmeubilair en -verlichting.

Het hotel telt twintig kamers, waarvan enkele suites. De standaardkamers hebben alle modern comfort, maar missen de warmte en de charme van de gemeenschappelijke ruimten op de gelijkvloerse verdieping. In de iets duurdere suites is meer aandacht besteed aan een authentieke kamerinrichting en uitnodigende badkamers.

Het hotel biedt alleen overnachting en ontbijt, maar op wandelafstand hebben dezelfde eigenaars *Brasserie The Lodge* geopend, alweer in een vernieuwd historisch pand.

Omdat Diest en de omgeving een ideale regio is om per fiets te ontdekken, biedt het hotel fietsarrangementen aan op basis van twee nachten in halfpension voor 135 euro per persoon.

The Lodge is een aangenaam driesterrenhotel met een ongedwongen sfeer in het historisch centrum, ideaal gelegen voor een bezoek aan de gezellige Oranjestad.

Door het ranke torentje en de klassieke trapgevels heeft het gebouw meer weg van een romantisch kasteeltje.

Diest praktisch

ALTERNATIEVEN

Wie in B&B Vossendries in Nieuwrode verblijft, rijdt telkens over de E314 tot afrit 24-Bekkevoort en neemt er de N2 naar Diest (18 km). Langdurig parkeren kan dan best aan het station.

BEOORDELING

De wandelingen verlopen ten zuiden van Diest in een golvend landschap. In de Demervallei en ten noorden van Diest is het vlak. Je kunt de wandelingen in elk seizoen doen.

HOE KOM JE ER?

MET DE TREIN Diest is gemakkelijk met het spoor bereikbaar vanuit Brussel, Antwerpen en Hasselt.

MET DE AUTO Vanuit Brussel bereik je Diest door de E314 te verlaten bij afrit 24-Bekkevoort en de N2 verder te volgen. In Diest volg je de ringweg naar rechts richting Hasselt tot de N2 aan een rotonde rechts de stad verlaat. Hier ga je links door de Hasseltsestraat tot de Grote Markt die je rechts opdraait. Aan de achterzijde van de kerk vervolg je links bergaf tot de Michel Theysstraat. Vanuit Limburg neem je afrit 25-Halen en verder de N2. Aan de rotonde met de ring steek je over naar de Hasseltsestraat en volgt de hierboven aangegeven route. Vanaf de E313 neem je afrit 24-Geel-Oost en daar de N174. Voorbij de spoorbrug en de Demer in Diest ga je aan de rotonde links. Bij de eerste lichten sla je rechts de Schaffensestraat in om 250 m verder rechts de Michel Theysstraat te kiezen.

KAARTEN

NGI topografische kaart 1/25.000, nr. 24/3-4 (Hulshout - Herselt), 24/7-8 (Aarschot – Scherpenheuvel-Zichem), 25/1-2 (Tessenderlo - Beringen) en 25/5-6 (Diest – Herk-de-Stad).

INFORMATIE

- Toerisme Diest: Grote Markt 1, 3290 Diest, ☏ 013 35 32 74, fax 013 32 23 06, www.diest.be en www.toerismediest.be, toerisme@diest.be.
- Dienst voor Toerisme Halen: Markt 14, 3545 Halen, ☏ 013 61 81 32, fax 013 61 81 21, www.halen.be, toerisme.info@halen.be.
- Toerisme Scherpenheuvel-Zichem: Basilieklaan 16, 3270 Scherpenheuvel, ☏ 013 77 20 81, fax 013 78 25 54, www.scherpenheuvel-zichem.be, toerisme@scherpenheuvel-zichem.be.
- VVV Tessenderlo: Gemeentehuis, Markt z/n, 3980 Tessenderlo, ☏ 013 66 17 15, fax 013 67 36 93, www.vvvtessenderlo.be, vvv@tessenderlo.be.

DIEST

Diest werd voor het eerst vermeld in 877 als graafschap van het Karolingische Rijk. Tot 1512 bewoonden de Heren van Diest een burcht op de Warandeheuvel. Diest beleefde zijn economisch hoogtepunt in de 14de en 15de eeuw dankzij een drukbezochte landbouwmarkt, graan- en veemarkten en de lakennijverheid. De strategische ligging aan de Demer, tussen het hertogdom Brabant en het prinsbisdom Luik, en de banden met het huis van Oranje, maakten de stad geregeld tot doelwit van aanvallen. In 1499 kwam Diest voor drie eeuwen in handen van de graven van Nassau. Tijdens de Franse periode werden de vestingwerken ontmanteld, maar vanaf 1837 kreeg Diest nieuwe wallen, overheerst door een citadel. Gezien haar Oranje-verleden moest de stad kunnen weerstaan aan een mogelijke Hollandse inval. Diest is klein in oppervlakte, maar telt veel historische monumenten. Naast het gerestaureerde begijnhof vormt de Grote Markt een merkwaardig geheel van oude gevels en het Stadhuis uit de 18de eeuw. De Sint-Sulpitiuskerk is een typisch voorbeeld van Demergotiek. De typische roestbruine ijzerzandsteen, die in de heuvelruggen tussen Aarschot en Diest aan de oppervlakte komt, wordt nergens meer in gebouwen gebruikt dan in Diest. Op zonnige dagen kun je 'terrassen' op de Oude Markt of is er het provinciaal recreatiedomein 'De Halve Maan'. Dit domein is een onderdeel van de 19de-eeuwse vestingwerken. In De Gulden Maan werd in 1599 de Diesterse heilige Jan Berchmans geboren. Naast hem telt Diest nog een beroemdheid, niet zozeer bekend in België, maar des te meer in Brazilië: Louis Cruls zocht de locatie van de huidige hoofdstad Brasilia.

N165
Averbode
Okselaar
N212
SCHERPENHEUVEL-
ZICHEM
Molen
Zichem
Demer
Scherpenheuvel
VLAAMS-BRABANT
Vossendries
E314
0
570 m

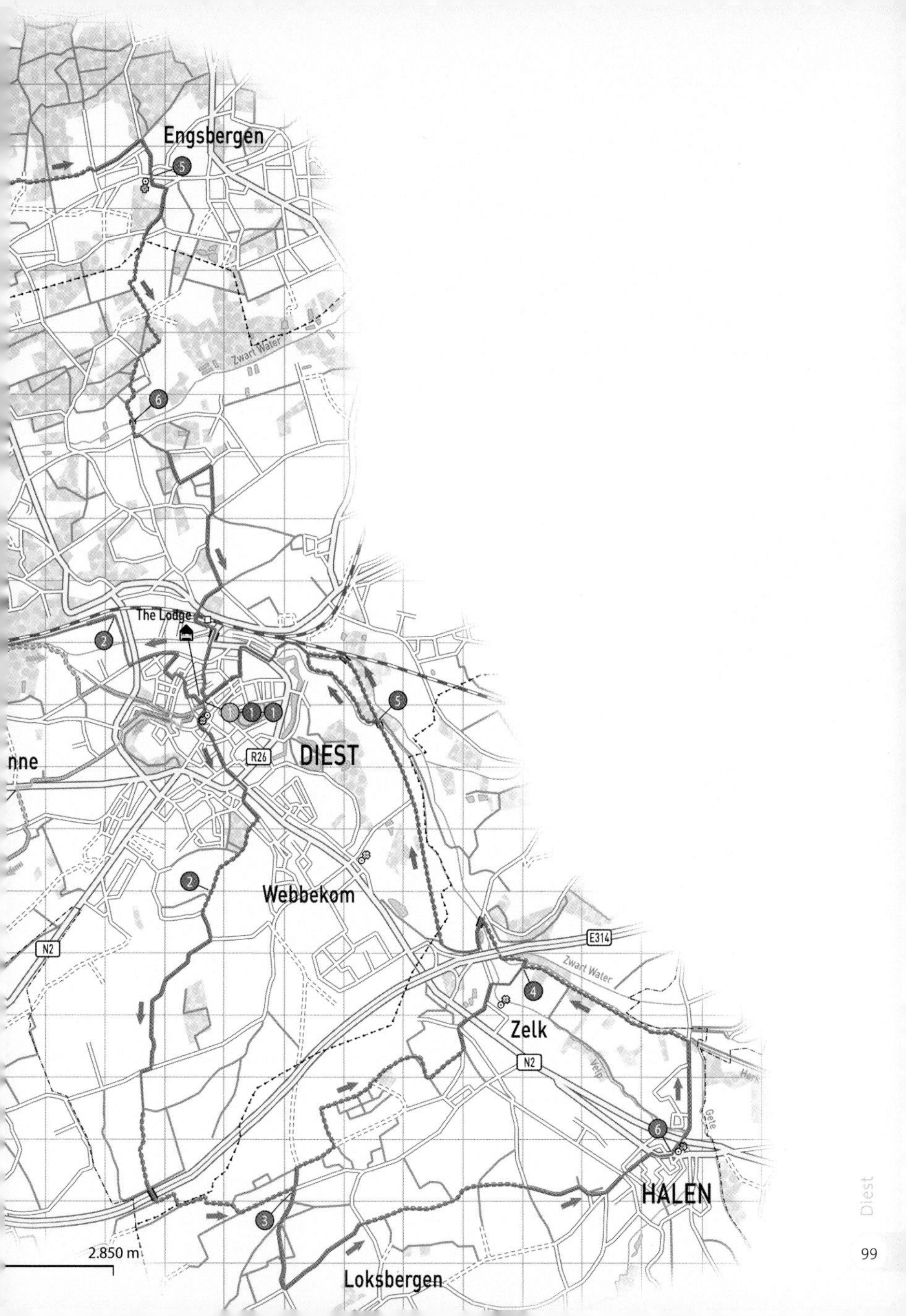
Engsbergen
Zwart Water
The Lodge
DIEST
R26
nne
Webbekom
N2
E314
Zwart Water
Zelk
N2
Velp
Hark
Gete
HALEN
Loksbergen
2.850 m

1. Averbode

DOOR DE DEMERVALLEI NAAR DE KEMPEN

Deze wandeling leidt je langs de oever van de Demer naar Zichem. Vervolgens staat Averbode met zijn norbertijnenabdij aan de grens met de provincie Antwerpen op het programma. De uitgestrekte bossen van de prinsen de Merode en van Gerhagen leiden je naar het Limburgse Engsbergen. Het wandelgebied Asdonk en een zompig natuurreservaat brengen je langs het vliegveld van Schaffen naar Diest terug. Broekbeemden, zanderige bodems, veel natuur en een beetje cultuur maken de drie-provinciën-tocht tot een aanrader.

AFSTAND 24,2 km, verkorting 17,4 km (zie 'Alternatieven', rood).
VERTREK The Lodge
AARD VAN DE WEG Aardewegen en verkeersarme asfaltwegen.
TOEGANKELIJKHEID Mogelijk voor buggy's behalve na regenval.
ALTERNATIEVEN De wandeling kun je inkorten door een enkele treinrit naar Zichem te nemen en de wandeling aan Zichem-Station **[3]** aan te vatten.
ETEN & DRINKEN

- Meerdere gelegenheden in de hoofdstraat van Averbode (juist voor **[4]**) en aan de kerk van Engsbergen (bij **[5]**).
- Brasserie-bistro Kiewithoeve (voorbij **[5]**): Goor 12, 3980 Tessenderlo-Engsbergen, ☏ 013 31 17 61.

DE WANDELTOCHT

1 2

Met de rug naar **The Lodge [1]** verlaat je de Theysstraat rechts langs brouwerij Cerkel. Op de T-sprong ga je rechts verder. Op de volgende T-sprong steek je over naar de linkerafhaalstrook van de school en in de bocht naar rechts kies je links. Over een asfaltpad bereik je de pijpenkop. Je wandelt de straat rechts in en op de T-sprong doe je dat opnieuw. Je volgt de drukke Nijverheidslaan naar links, je steekt de ringweg over en 80 m verder wandel je de eerste afslag rechts in. Voorbij de Demer kom je op de **T-sprong voor de spoorweg [2]**.

2 3 Je gaat er links en weldra wandel je naast de Demer. Je volgt er schuin links de grindweg op de oever. Na 3,4 km bereik je een eerste brug bij de Maagdentoren. Hier stap je nog rechtdoor maar 100 m verder bij de volgende brug, ga je rechts langs een Demerarm. Op de grote weg kies je rechts naar het **station van Zichem [3]**.

3 4 Voorbij de overweg volg je het fietspad aan de linkerkant van de drukke weg. Je passeert het Ernest Claesmuseum en 750 m verder kies je links de Heidedijk. Na een haakse bocht eindigt die op een T-sprong waar je links verder gaat. Asfalt gaat over in aarde en na 300 m aardeweg sla je rechts een andere in. Voorbij het eerste huis beland je op een T-sprong en volg je de grindweg links. Aan de volgende stap je rechts verder. Je steekt de viersprong met een Mariabeeld in een mijnlamp over naar de Zandstraat. 500 m verder neem je de derde afslag rechts, de Prelaatstraat. Je steekt het grote kruispunt in het centrum van Averbode schuin links over naar de betonweg en naast huisnummer 143 kies je de grindweg naar nummer 145. Enkele tientallen meters verder kom je op een bospad terecht. Je negeert een afslag naar een asfaltweg, je passeert een kapel en aan de viersprong enkele tientallen meters verder sla je links een dreef in langs een afsluiting. Aan de ingang van de **abdij van Averbode [4]** volg je scherp rechts de vergrindde Abdijstraat.

4 5 300 m verder ruil je die voor de Luiksedreef schuin links naar knooppunt 334. Na 2 km ga je rechts een drukke weg op en je kunt snel gebruik maken van de vergrindde parking van een dancing om de drukke weg te mijden. Op het einde van de parkeerstrook steek je de grote weg over naar een smalle asfaltweg die weldra in grind overgaat. 600 m verder bereik je een viersprong aan de bosrand van Gerhagen. Je gaat er rechts een zandige bosweg in. Na een eerste boszone met duinen bereik je een open plek met enkele typische Kempense hoevetjes. Je negeert de asfaltweg naar rechts, je neemt dus de asfaltweg rechtdoor en waar het asfalt ophoudt, kies je de grindweg schuin links door het bos. Je verlaat het bos bij een rustbank en je gaat er links een aardeweg op. 500 m verder bereik je een asfaltweg die je 10 m naar rechts volgt om dan links een aardepad te kiezen. Het gaat nu steeds rechtdoor en je stevent af op Engsbergen. Aan de woonwijk ga je even rechts om snel links Mispad in te slaan. Aan de viersprong bij de voetbalvelden kies je rechts de Smisstraat naar de **kerk van Engsbergen [5]**.

5 6 Daar steek je de hoofdweg over naar Goor. Aan de driesprong met kapel draai je scherp rechts naar de Kiewithoeve. Ook daar ga je rechtdoor en asfalt maakt plaats voor grind (groene driehoek). Aan een vijfsprong ga je schuin rechts verder (blauwe ruit). Aan een haakse bocht rechts verlaat je het bos voor de bosrand en bij de

witte kapel met rustbank buig je links af. Je gaat wel onmiddellijk schuin rechts het bos in richting huisnummers 51-53. Aan het huis volg je het aardepad rechtdoor (GR). Aan de viersprong voorbij het bos ga je schuin links verder over een aardeweg tussen weiden en velden. Enkele haakse bochten verder steek je het **Zwart Water [6]** over.

6 1 Op het einde volg je de brede asfaltweg naar links en 50 m verder verlaat je die voor de Vennestraat rechts. Bij huisnummer 10 neem je het zandige bospad rechts bergop. Op het einde ga je links verder op een grindweg. Juist voor je weer op de asfaltweg komt buig je haaks rechts een aardeweg in. De weg gaat als pad verder bergop. Aan het eerste huis verbreedt het opnieuw tot een grindweg. Aan de T-sprong bij het vliegveld van Schaffen ga je rechts en je kiest onmiddellijk schuin links de vergrindde aardeweg naar knooppunt 32. Je klimt naar de top van de Lazarijberg, 65 m boven de zeespiegel. Deze behoort tot de eerste Hagelandse heuvelrug. Je negeert alle afslagen naar rechts. Na een haakse bocht negeer je de afslag links in het militaire domein en de grindweg begint te dalen. Je steekt de grote weg over en vervolgt naar links tot je bij kilometerpaal 1 rechts de passerelle over de sporen neemt. Je steekt het plein voor het station schuin links over naar de lichten en je wandelt rechts Diest binnen. Je steekt de Demer over en bij twee opeenvolgende rotondes ga je telkens rechtdoor. Voorbij huisnummer 71 stap je schuin links langs de slagboom de parking van het ziekenhuis op. Je volgt 'leveranciers' en voor de spoedingang zoek je rechts naar een voetpad. Een hek brengt je langs de muur van de hoteltuin naar de voorkant van het ziekenhuiscomplex. Even naar rechts en je bereikt **The Lodge [1]**.

Halen

OVER DE HAGELANDSE HEUVELS

Vandaag trek je over de Hagelandse heuvelrij. Je krijgt meerdere uitzichten over de stad Diest voorgeschoteld. In het Hageland begeleiden boomgaarden je naar Halen. Dit dorp is vooral bekend om de Slag der Zilveren Helmen in 1914. Door het samenvloeiingsgebied van Demer, Velp, Gete, Herk en andere Zwarte Waters en Zwarte Beken, keer je door het idyllische broekenlandschap rond Webbekom naar het beginpunt terug.

AFSTAND 16,8 km, uitbreiding 21,1 km (paars).
VERTREK The Lodge
AARD VAN DE WEG Aardewegen en verkeersarme asfaltwegen.
TOEGANKELIJKHEID Onmogelijk voor buggy's behalve na regenval.
ETEN & DRINKEN

- Café De Markt op de Markt van Halen **[6]**.

DE WANDELTOCHT

1 2 Aan **The Lodge [1]** wandel je rond de kerk naar de Grote Markt en volgt er links de Sint-Jan-Berchmansstraat. Je houdt rechtdoor, ook aan de rotonde van de ringweg. Je zorgt wel dat je aan de rechterzijde wandelt, want aan huisnummer 19 neem je rechts de Bevrijdingsstraat. Aan het volgende kruispunt volg je links de Steenweg op Papenbroek. Voorbij huisnummer 41 verlaat je die voor het aardepad rechts. Je steekt een asfaltweg over. Het OCMW heb je niet nodig, dus blijf je de aardeweg langs de bosrand volgen. Een holle weg leidt naar een mooi uitzichtpunt op de **Kloosterberg [2]**.

2 3 Je houdt rechtdoor aan en een andere holle weg brengt je naar een knik in een asfaltweg. Je gaat er links. Aan de T-sprong kies je rechts de Neerveldstraat doorheen de vallei van de Begijnenbeek. Voorbij een kapel begint een lange klim die pas aan de E314 zal eindigen. Op een dubbele betonweg ga je rechts en 100 m verder sla je links een kasseiweg op. In het holle gedeelte houd je rechtdoor aan en je stevent af op de A2. Voorbij de brug volg je de grindweg links. Na de eerste boomgaard sla je rechts een aardeweg in. Op de T-sprong vervolg je naar links en aan de volgende boomgaard ga je haaks rechts. Na een knik begint een afdaling. Op de T-sprong wandel je links verder naar het **kruispunt met infobord [3]** waar de uitbreiding start.

3 4 Het gewone parcours gaat langs het infobord links de Molenweg in naar knooppunt 350. Aan het volgende kruispunt (met kapel) moet je daarvoor rechts. Asfalt maakt plaats voor grind en na 400 m neem je links een aardeweg. Wat verder klim je rechts van bomen en struiken de Bokkenberg op. Eenmaal boven buig je rechts af en de grasweg gaat over in een aardeweg. Op de kam van de Bokkenberg heb je mooie vergezichten naar de Demervallei en het golvende Hageland. 500 m verder duikt de weg een holle weg in, maar je gaat hier even links om dan rechts een grindweg in het verlengde van de vorige aardeweg langs de bosrand te volgen. Uiteindelijk buig je door een andere holle weg het bos in. Juist voor een boomgaard sla je links de grasweg in. Na enige tijd wordt het een aardeweg in een holle weg. Aan hangars volg je rechtdoor de asfaltweg over een oude spoorwegbrug. Aan een viersprong ga je rechts richting knooppunt 357. Je steekt voorzichtig de drukke weg Diest-Hasselt over naar de Zelemstraat. Je negeert de afslag naar de kerk van Zelk, maar aan de bocht kies je rechts een kasseiweg over de Velpe naar de **witte Demerbrug [4]**.

4 5 Je steekt die over en je slaat links de aardeweg in. De aardeweg verlaat vrij snel de oever, duikt een bos in en weldra wandel je langs het Zwart Water. Voorbij de autowegbrug wandel je tussen Zwart Water (rechts) en Demer (links) naar de grote

weg. Halverwege mondt de Velpe links in de Demer uit. Je gaat de hoofdweg links op, je steekt de Demer over en dan sla je rechts het fietspad in, op de voormalige spoorlijn Diest-Halen, richting 34. Na een lange bocht gaat het in rechte lijn verder, beton maakt plaats voor grind en na 2,5 km steek je **bij een stuw de Demer [5]** over.

5 1 Ofwel vervolg je rechtdoor waarbij je na 700 m ook de Zwarte Beek oversteekt en 300 m verder op een T-sprong bij bruggen rechts gaat. Ofwel sla je links een grasweg op de oever in. Na 900 m begint de Demer aan een bocht naar rechts en zoek je rechts tussen de bomen een weg die weldra de Zwarte Beek dwarst. Voorbij nog een brug sla je links af over een zwarte grindweg parallel met de spoorlijn. Je klimt naar de spoorbrug en daar ga je links weer bergaf over een grindweg. Je steekt achtereenvolgens de Zwarte Beek en de Demer over. Doorheen de vesten kom je op de ringweg, die je voorzichtig oversteekt en naar rechts volgt. Aan de lichten sla je links de Schaffensestraat in. Voorbij de watermolen van de Ezeldijk kies je rechts de Theysstraat naar **The Lodge [1]**.

UITBREIDING

3 6 Aan het **kruispunt met het infobord [3]** ga je rechtsaf. Asfalt gaat in beton over naar de top van de Molenberg, duik dan een holle weg bergaf en aan het stopbord sla je links een asfaltweg in. 1 km verder steek je de brede betonweg over naar de Kanonniersstraat. Kasseien maken plaats voor een aardeweg. Je gaat over de Mertensberg en 1,2 km voorbij de top bereik je een betonweg. Je steekt die over naar de nu geasfalteerde Kanonniersstraat. Bij het begin van Halen ga je aan de kapel ter ere van onze helden links verder op de hoofdweg. Aan de rotonde kies je rechtdoor de Fonteinstraat in naar knooppunt 352. Op het einde volg je rechts de De Wittestraat naar de **Markt van Halen [6]**.

6 4 Voor de kerk sla je links af. Je steekt de grote weg voorzichtig over naar de Mosstraat richting Linkhout. Je gaat over de Velp en het fietspad brengt je 900 m verder aan de brug waar Gete en Herk samenvloeien. Je wandelt er schuin links een aardeweg op. 200 m verder mondt de samenloop in de Demer uit. Even moet je van de oever weg om rond een bosje te lopen, maar weldra stap je over een breed overwoekerd pad verder langs de Demer. De weg wordt beter voorbij de afslag en uiteindelijk bereik je de **witte Demerbrug [4]** waar de uitbreiding eindigt. Je gaat rechts de brug over.

3. Scherpenheuvel

OP BEEWEG

Als bedanking voor reeds twee mooie wandelingen ga je vandaag op bedevaart naar de Onze-Lieve-Vrouw van Scherpenheuvel. Door het golvende landschap dat het Hageland aankondigt, stap je in een grote lus naar de basiliek. Na de obligate kruisweg keer je terug naar Diest, na al of niet een omweg naar het Zichem van Ernest Claes. Het Prinsenhofwandelpad leidt je de eerste heuvelrug af naar de Demerbroeken. De grindweg op haar oever sluit de driedaagse af zoals ze begon: op de oevers van de Demer.

AFSTAND 17,8 km, uitbreiding 23,2 km (oranje).
VERTREK The Lodge
AARD VAN DE WEG Aarde- en grindwegen en verkeersarme asfaltwegen.
TOEGANKELIJKHEID Onmogelijk voor buggy's.
ETEN & DRINKEN

- Ruime keuze aan horecazaken rond de basiliek van Scherpenheuvel **[4]**.
- Meerdere gelegenheden op de markt van Zichem **[8]**.

DE WANDELTOCHT

1 2 Met de rug naar **The Lodge [1]** sla je schuin rechts de geplaveide Brouwerijstraat in. Je steekt het plein over naar de Schuttershofstraat. Op het einde sla je links af naar de Keelstraat en aan de citadelheuvel volg je de asfaltweg rechts. Aan de Demerbrug blijf je rechtdoor gaan naar de bosweg. 250 m verder bij de splitsing houd je links aan. Het gaat nu bergop en aan de dwarsweg ga je links tot het einde. Daar wandel je naar de ringweg en je steekt die voorzichtig over naar de Steineweg. Je klimt geleidelijk, je negeert alle afslagen en je wordt beloond met uitzichten over het golvende landschap. Je gaat de drukke weg naar Scherpenheuvel rechts op om voorbij huisnummer 164 links de **Dongelstraat [2]** te nemen.

2 3 Kasseien gaan over in gras en het gaat nu steil bergaf naar een betonweg die je even rechts volgt om links Grootveld in te slaan. Je verlaat de bebouwde kom van Kaggevinne. Aan het kruispunt na 1 km ga je links verder. Je negeert de afslag naar Galgenberg en 50 m voor de heuveltop sla je rechts een aardeweg in. Je negeert de aardeweg rechts en in het bos een afslag links. Je gaat schuin links in dalende lijn over een grindweg. Je wijkt naar rechts bij een private oprit en aardepad aan je linkerhand, je daalt verder en draait links een asfaltweg in. Op de **Leuvensesteenweg [3]** volg je 80 m naar rechts om dan rechts een kasseiweg op te klimmen.

3 4 Bij de Y-splitsing op het einde van de holle weg ga je rechts de velden in. Waar de dalende aardeweg links afbuigt, volg je rechts de GR-tekens door het bos. Aan het mooie hoevecomplex volg je de vergrindde dreef naar links. Aan de viersprong stap je rechtdoor en aan de volgende afslag 300 m verder sla je links af. Aan de bosrand ga je rechts de stijgende aardeweg op. Op het einde volg je de betonweg naar links en 150 m verder verlaat je die voor een aardeweg rechts. Aan de AVEVE stap je de rijweg rechts op om tegenover huisnummer 59 links een graspad te volgen. Je volgt de grote weg naar links tot de **basiliek van Scherpenheuvel [4]**.

4 6 Je neemt rechts de kasseien van het Albertusplein en voorbij Villa Beaumont ga je rechts door een poort de grindweg af. Op het laagste punt negeer je de houten brug naar de parking. Door een poort verlaat je de Rozenkransweg en je gaat tweemaal rechts naar Spordel. Je houdt rechtdoor aan en 175 m voorbij het voetbalveld kom je op een **splitsing van aangestampte aardewegen [5]** waar links de uitbreiding naar Zichem begint. Het gewone traject gaat rechtdoor, ook aan de Timmermansstraat. In de haakse bocht ga je links een aardepad op. Het komt uit op een **aardeweg [6]** die je rechts volgt.

ZICHEM

Zichem is de geboorteplaats van Ernest Claes. De schrijver gaf gestalte aan alom bekende figuren als de Witte, boer Coene, moeder Cent, pastoor Munte en andere 'Heren van Zichem'. Ooit was Zichem een stad. Waarschijnlijk ontstond kort na 1302 het domein of Land van Zichem met acht Hagelandse dorpen. In 1398 viel het in handen van de Heer van Diest en dus van Oranje-Nassau. De inname door de Spanjaarden luidde het einde van de welvaart in. Na 1830 verloor Zichem het stedelijke statuut en in 1928 moest het lijdzaam toezien, hoe op het gehucht Heide de gemeente Averbode ontstond. Je wandelt het stadje binnen langs het ruiterstandbeeld Don Jon. Na het dwarsen van de vesten schittert de Sint-Eustachiuskerk met haar gotische kenmerken. Ze is opgetrokken uit bruinrode ijzerzandsteen in de Brabantse Demergotiek. Het interieur omvat een pronkstuk met een laat-14de-eeuws glasraam, waarschijnlijk het oudste van het land. De stemmige markt wordt gesierd door bomenrijen, een kiosk, enkele oude huizen en het de Witte-monument.

6 – 7

Voorbij het hoogste punt daal je in een holle weg naar een T-sprong waar je links verder gaat. Aan de volgende T-sprong kies je rechts de Kroonstraat, die je onmiddellijk links verlaat voor een aardeweg. Na 500 m buig je links af en bij de knik in een grindweg volg je die rechtdoor. Op het einde ga je rechts een asfaltweg op. Bij huisnummer 2 volg je rechtdoor het Prinsenboswandelpad. Doorheen een holle weg buigt het rechts af. Beneden beland je op een open plek waarvan de uitweg schuin links ligt. Je steekt de weg Diest-Zichem over naar de kasseiweg. Die verandert in een grindweg en je bereikt de **Demer [7]**.

7 – 1

Je volgt de grindweg op de oever naar rechts, 1250 m verder gaat die langs de Leigracht en je stevent af op huizen. Je slaat de grote weg links in en dan kies je rechts de Kluisbergstraat opnieuw langs de Leigracht. Je houdt het water gezelschap en waar het ondergronds verdwijnt, vervolg je rechtdoor in de Vissersstraat. Op het einde steek je over naar de Brouwerijstraat tot aan de **The Lodge [1]**.

UITBREIDING

5 – 8

Aan de **splitsing [5]** sla je links de gewone aardeweg in. Na 1,2 km in dalende lijn ga je links het dolomietfietspad op. Je negeert de eerste dwarsweg, maar aan de tweede sla je rechts af (oranje bol). Je steekt een asfaltweg over en rond een bos gaat de grindweg even rechts, om dan links op een volgend bos af te stevenen. Door een holle

weg daal je door het bos. Aan de rijweg ga je rechts naar de rotonde met het Spaanse ruiterstandbeeld. Je buigt rechts af, je passeert de Vesten en bij een apotheek sla je links Ter Elzen in. Voorbij de knik aan het gelijknamige voormalige kloostergebouw bereik je de **kerk van Zichem [8]**.

8 6 Je steekt de weg over, je houdt de kerk links en door de Pastoor Beckxstraat kom je op de Markt. Je steekt die over en verlaat hem rechts door de Kranenburgstraat. Waar links de oprit naar het Oranjekasteel is, ga je rechts de Oranjestraat in. Daarna zoek je links de Cuypersstraat, je steekt de Veststraat over en kiest 10 m verder de parallelle grindweg rechts. Voorbij de sierhaag volg je het aardepad haaks links en op het einde stap je rechtdoor de asfaltweg af. Je steekt de Bredeveldstraat over, je gaat 10 m verder rechts af en onmiddellijk links de grindweg op. De weg gaat in aarde over en je klimt even gestadig als je daarnet de lange afdaling deed. Nu kijk je uit op de basiliek van Scherpenheuvel. Na bijna anderhalve kilometer eindigt de uitbreiding bij een **afslag naar een aardepad [6]**. Je wandelt verder rechtdoor.

6. Korbeek-Dijle

HET MOOISTE VAN DE DIJLEVALLEI

Het achterland van Leuven is een waar paradijs voor wandelaars. De Dijle en haar bijrivieren hebben voor een gevarieerd landschap gezorgd. De één kilometer brede valleibodem is bedekt met vochtige beemden. Kloosterlingen legden er vijvers aan en zetten vis uit om aan hun vrijdagsplichten te voldoen. Op de vruchtbare leembodems van het Brabants Plateau geniet je van vergezichten over het open landschap. Waar de leemmantel dunner was, is de streek niet ontgonnen. De hertogen van Brabant zorgden goed voor het Heverleebos en het Meerdaalwoud. Meer dan genoeg stof dus voor drie dagen wandelen.

Waar kun je in Vlaanderen nog uren in bossen ronddolen zoals hier in het Heverleebos en het Meerdaalwoud?’

EN HET MEERDAALWOUD

Onze logiestips: Cathy Goossens en Patrick Vlasselaer ontdekten tijdens een open dag van de Leuvense universiteitsbibliotheek de naam voor hun B&B: **Vallis Dyliae**, de Latijnse naam voor Dijlevallei. De grote kamers kregen namen als: de Rector, de Professor, de Aula, 't Kot... Het kasteelachtige huis van Ivo Leflot heette oorspronkelijk Wuthering Heights van Emily Brontë. Via de Franse vertaling Les Hauts de Hurle-Vent werd het uiteindelijk **Huilewind**. Een tv-reportage bracht hem op het idee om er een bed & breakfast te beginnen.

Onze wandeltips: De drie wandelingen voeren je telkens door een ander landschap. Wandeling 1 voert door het gesloten landschap aan beide zijden van de Dijle. Wandeling 2 verkent de mooiste delen van Heverleebos en Meerdaalwoud, terwijl wandeling 3 je over het open Brabantse Plateau naar de Voervallei leidt.

Oud en nieuw aan de Dijle

B&B VALLIS DYLIAE

In het landelijke Korbeek-Dijle, tussen Leuven en de Brusselse rand, bieden Cathy en Patrick sinds vorig jaar gastenkamers aan in hun nieuwe huis met wijds uitzicht op oude druivenserres en op de Dijlevallei.

Toen Cathy Goossens en Patrick Vlasselaer elkaar een paar jaar geleden leerden kennen, besloten ze samen hun intrek te nemen in het pand waar Patricks ouders tot in 1990 druiven hadden gekweekt. Ze sloopten het vroegere woonhuis en bouwden in de plaats een comfortabele moderne woning.

Hoewel Cathy een goede baan in een Leuvense decoratiezaak had, wilde ze toch iets nieuws. Ondanks de opmerkingen van vrienden en buren duwde ze haar idee door om haar huis open te stellen voor gasten. "Vrienden waarschuwden me voor het vele werk en buren dachten dat niemand zou willen overnachten in Korbeek-Dijle", vertelt ze. Werk schrikt Cathy niet af en ze was er rotsvast van overtuigd dat ze klanten kon vinden voor haar zaak. Omdat het huis volledig nieuw gebouwd werd, konden Cathy en Patrick bij de constructie rekening houden met de specifieke wensen voor gastenkamers: het linkergedeelte van het huis hielden ze privé en aan de rechterzijde bouwden ze vijf luxueuze gastenkamers.

Tijdens een open dag van de Leuvense universiteitsbibliotheek ontdekten ze de naam voor hun B&B: *Vallis Dyliae*, de Latijnse naam voor Dijlevallei. De grote kamers kregen namen die verwijzen naar het universiteitsleven: de Rector, de Professor, de Aula, 't Kot... Samen met een

B&B Vallis Dyliae, Nijvelsebaan 258, 3060 Korbeek-Dijle
+32 (0)16 48 73 73, info@vallisdyliiae.be, www.vallisdyliiae.be
vanaf 110 euro per kamer, ontbijt inbegrepen.

professionele decoratrice zorgde Cathy voor een tijdloze inrichting met houten vloeren en warme kleuren. Antieke voorwerpen zoals een paspop en een paar Chinese laarzen zorgen voor een onverwachte huiselijke sfeer. In elke kamer staat behalve het comfortabele bed nog een bankstel, een bureau en een televisie en er is internetaansluiting. In tegenstelling tot de slaapkamers zijn de badkamers met douche vrij klein uitgevallen.

In de grote tuin zijn het de authentieke serres met oude druivenstokken die de aandacht trekken. Patrick restaureerde ze eigenhandig, als eerbetoon aan zijn familie. De zuidelijke helling en de rijke Brabantse bodem leveren hier nog steeds sappige tafeldruiven op. In de bar kun je zelfs een plaatselijke witte wijn proeven.

De buren hebben ondertussen ongelijk gekregen: sinds de opening is *Vallis Dyliae* een favoriet adres, vooral bij buitenlanders die voor zaken naar Leuven komen en de voorkeur geven aan de rust van een landelijke omgeving. Ondertussen ontdekken ook steeds meer landgenoten de Dijlevallei als een ideaal wandelgebied.

In de grote tuin zijn het de authentieke serres met oude druivenstokken die de aandacht trekken. Patrick restaureerde ze eigenhandig.

Hoogvlieger in Hoegaarden

B&B HUILEWIND

Hoegaarden associeer je niet meteen met een vakantiebestemming, maar wie door de open landschappen en over de holle wegen van het Hageland rijdt, begrijpt vlug dat dit een ideale regio is voor een paar dagen ertussenuit. Een verblijf in *Huilewind* maakt dat compleet.

Tot enkele jaren geleden leidde het gezin van Ivo Leflot een onopvallend bestaan in een rustig gelegen huis in de landelijke deelgemeente Meldert. Ivo kon het pand meer dan dertig jaar geleden kopen. Het kasteelachtige huis werd na de Eerste Wereldoorlog gebouwd en genoemd naar het lievelingsboek van de bewoner: *Wuthering Heights* van Emily Brontë. Via de Franse vertaling *Les Hauts de Hurle-Vent* werd het uiteindelijk Huilewind.

De inrichting van de kamers contrasteert met de klassieke gezelligheid van het ontbijtzaaltje. In de grote tuin kun je luieren onder de notenbomen.

Toen Ivo's echtgenote onverwachts overleed, besliste hij het huis te verbouwen. "Het huis was te groot voor mij alleen, maar ik kon het niet over mijn hart krijgen om het te verkopen", vertelt Ivo. "Een tv-reportage over een bed & breakfast bracht me op het idee om hier hetzelfde te doen en mijn leven een nieuwe inhoud te geven." Ook Ivo's dochter Isabelle was daar meteen voor te vinden: "Ik zat midden in mijn pilotenopleiding, maar heb mijn studies tijdelijk stopgezet voor ons nieuwe project". Samen hebben ze het huis verbouwd en heringericht. Ivo ontpopte zich tot een gedreven vakman en Isabelle ontplooide zich als decoratrice met smaak.

B&B Huilewind, Meerstraat 15, 3320 Hoegaarden
+35 (0)494 05 48 05, info@huilewind.be, www.huilewind.be
vanaf 70 euro per nacht per kamer, inclusief ontbijt.

Op de eerste verdieping hebben ze drie fraaie gastenkamers met badkamer ingericht; die kregen de namen van schilders: Dalí, Degas en Klimt. Ze kozen voor een strakke moderne inrichting waarbij het comfort van de gasten voorop staat. Elke kamer beschikt over televisie, internetaansluiting en een koelkastje. De badkamers, met vloerverwarming, werden op een originele manier ingebouwd in het oude huis. In de Klimt-kamer staat de badkuip midden in de grote open badkamer.

De inrichting van de kamers contrasteert met de klassieke gezelligheid van het ontbijtzaaltje, dat ook gebruikt wordt voor feestjes of een diner. In de grote tuin nodigen de vele tuinstoelen uit om te luieren onder de notenbomen. De schuren worden omgebouwd tot een saunaruimte. Voor ruiters die met hun paard de streek willen verkennen, staan boxen ter beschikking. Ivo is zelf een paardenliefhebber en met zijn rasechte haflingers organiseert hij huifkartochten door de bossen en de weiden in de omgeving.

Al sinds de opening is *Huilewind* een populair adres bij fietsers en wandelaars. Ivo kan er niet genoeg van krijgen en denkt aan uitbreiding, maar Isabelle wil haar pilotenopleiding hervatten. *Huilewind* is alvast een hoogvlieger geworden.

Korbeek-Dijle praktisch

ALTERNATIEVEN

Wie in B&B Huilewind in Meldert overnacht, rijdt telkens over Opvelp, Bierbeek, Haasrode, Blanden, Vaalbeek en 't Zoet Water naar Korbeek-Dijle (20 km).

BEOORDELING

De wandelingen verlopen, behalve de eerste waar het vlak is, in een golvend landschap. Aarde-, grind- en bospaden zijn ruimschoots in de meerderheid. De asfaltwegen zijn op enkele uitzonderingen na vooral voor plaatselijk verkeer. Je kunt de wandelingen in elk seizoen doen. In de herfst heb je het mooiste kleurenpalet in de bossen. Na regenweer kunnen enkele passages langs de Dijle er modderig bij liggen. Uitbreiding Broeken bij wandeling 1 vereist schoenen met hoge schacht of laarzen en is na zware regenval vaak onmogelijk.

HOE KOM JE ER?

MET DE TREIN Het dichtstbijzijnde station bevindt zich in Oud-Heverlee op de lijn Leuven – Ottignies-Louvain-la-Neuve. Vandaar is het 1,5 km naar Korbeek-Dijle en Vallis Dyliae.

MET DE AUTO Je verlaat de E40 bij afrit 22-Bertem en je neemt de N2 richting Leuven. Aan de eerste rotonde ga je rechts, je rijdt onder de E40 door en slaat direct links af naar Korbeek-Dijle. Op het einde sla je rechts af richting Overijse. Na 1 km bereik je Vallis Dyliae.
Je kunt ook de A2 verlaten bij afrit 15-Leuven. Aan de eerste lichten volg je rechts de N253 naar Overijse. Na 4 km bereik je Vallis Dyhliae.

KAARTEN

NGI topografische kaart 1/25.000, nr. 31/3-4 (Brussel-Bruxelles - Zaventem), 31/7-8 (Ukkel-Uccle - Hoeilaart), 32/1-2 (Bertem - Leuven) en 32/5-6 (Huldenberg – Grez-Doiceau).

INFORMATIE

- Toerisme Vlaams-Brabant: Provinciehuis, Provincieplein 1, 3010 Leuven, 016 26 76 20, 016 26 76 76, www.vl-brabant.be/toerisme, toerisme@vlaamsbrabant.be.
- Bertem: www.bertem.be/Vrije_tijd/Toerisme.
- Dienst Toerisme en Cultuur Oud-Heverlee: Gemeentestraat 2, 3054 Oud-Heverlee, 016 38 88 30, 016 38 88 09, www.oud-heverlee.be, higo.delestinne@oud-heverlee.be.
- Toerisme Huldenberg: Gemeentehuis, Gemeenteplein 1, 3040 Huldenberg, 02 686 61 65, www.huldenberg.be, <EM> mia.vanassche@huldenberg.be.
- Infocentrum De Vrienden van Heverleebos en Meerdaalwoud: Waversebaan 66, 3001 Heverlee, 016 23 05 58, 016 23 05 58, http://vhm-vzw.org/index.htm, vhm.infocentrum@skynet.be.

DIJLE

Sinds de splitsing van de provincie Brabant in een Vlaams en een Waals deel doet de Dijle twee provinciehoofdplaatsen aan, Waver en Leuven. Tussen beide steden meandert de rivier traag doorheen een tot een kilometer brede vallei. Onderweg krijgt hij het gezelschap van de Train, de Laan, de Nethen, de IJse en de Voer. De Dijle ontspringt in Wallonië op het Brabants Plateau, niet ver van Nijvel. Daar begint hij aan 30 km doorheen een diep ingesneden dal. Voorbij Waver steekt hij de taalgrens over voor een 25 km lang traject naar Leuven. Tot aan de monding in de Rupel voorbij Mechelen is het dan nog 40 km. Tussen Waver en Leuven bevindt zich het typische groene Dijlelandschap met beemden en bospartijtjes.

HEVERLEEBOS EN MEERDAALWOUD

Heverleebos en Meerdaalwoud zijn net zoals het Zoniënwoud en het Hallerbos restanten van het grote Kolenwoud, dat eertijds Midden-België bedekte. Het ontstond zo'n 10.000 jaar geleden na de laatste ijstijd. De Romeinen schuwden deze zone en het verwondert je dan ook niet dat nu de taalgrens doorheen dit voormalige niemandsland loopt. Geleidelijk aan werden grote delen van dit Kolenwoud ontgonnen voor de landbouw. Vooral tussen de 11de en de 13de_eeuw werd onder leiding van de abdijen van 't Park in Heverlee en die van Valduc te Hamme-Mille in versneld tempo het bos gerooid. Omdat de leemlaag, in tegenstelling tot deze van de omliggende landbouwgronden, dun of onbestaande is, werden de bossen nooit volledig gekapt.

BERTEM
Sint-Verone
Leefdaal
Korbeek-D
N3
Vossem
Voer
Neerijs
TERVUREN
Duisburg
Loonbeek
IJse
Eizer
St.Agatha
Rode
N253
HULDENBERG
VLAAMS-BRABANT
1
2
3
4
5
6
7

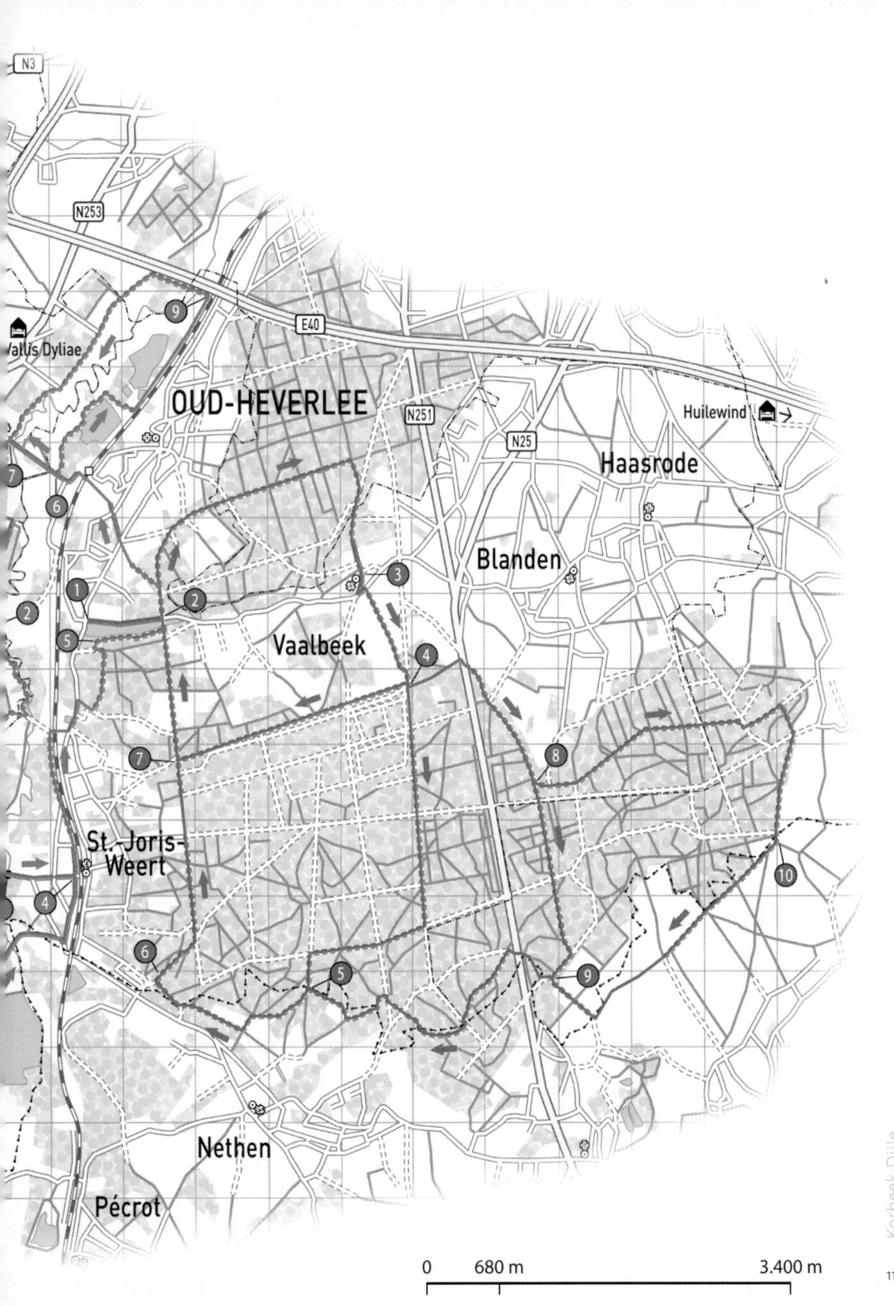
N3
N253
E40
Vallis Dyliae
OUD-HEVERLEE
N251
N25
Huilewind
Haasrode
Blanden
Vaalbeek
St.-Joris-
Weert
Nethen
Pécrot
0
680 m
3.400 m

1. Dijlevallei

EEN PRACHT VAN EEN NATUURLANDSCHAP

Vandaag verken je de mooiste plekjes van de rustige Dijlevallei. Doorheen het natuurgebied De Doode Bemde wandel je naar Sint-Joris-Weert. Wie het typische halfgesloten Dijlelandschap met beemden en bospartijtjes ten volle wil verkennen, maakt de uitbreiding naar Snt-Agatha-Rode. Je kunt er uitrusten onder de plataan voor het kerkje. Op de terugweg kun je dat ook aan de vijvers van het Zoet Water. Ben je avontuurlijk ingesteld en heb je schoeisel met hoge schacht, dan mag je op het einde zeker de uitbreiding door de Korbeekse beemden niet overslaan.

AFSTAND 12,8 km, uitbreiding Rode 17,4 km, uitbreiding broeken 17,4 km, beide uitbreidingen 22,0 km (rood).
VERTREK Vallis Dyliae
AARD VAN DE WEG Aarde- en boswegen en enkele drukkere asfaltwegen op de uitbreiding.
TOEGANKELIJKHEID Onmogelijk voor buggy's. Hier en daar dienen honden aan de leiband. De tweede uitbreiding (doorheen de beemden) is enkel mogelijk bij droge omstandigheden; schoeisel met hoge schacht of laarzen aanbevolen; na 200 m volgt de problematische doortocht.
ETEN & DRINKEN

- Eetcafé Estaminet (bij **[8]**): Leuvensebaan 362, 3040 Sint-Agatha-Rode, ✆ 016 46 48 16, dag. geopend vanaf 14.00 u, zo. vanaf 10.00 u.
- Art Café (eerste uitbreiding juist voor **[4]**) en Café In de Rapte (bij **[4]**).
- Meerdere zaken aan het Zoet Water **[5]**.

DE WANDELTOCHT

1 2

Je dwarst de hoofdweg bij **Vallis Dyliae [1]** naar de Kleinebroekstraat. Na 500 m volg je rechts het dolomietpad langs de slagboom. Aan de vogelkijkhut 200 m verder heb je een prachtig uitzicht over de Langerodevijver. Je steekt de gloednieuwe **IJsebrug [2]** over en je kiest de aardeweg links langs de Dijle.

2 4 Aan de volgende brug ga je tussen de paaltjes rechts en je stevent af op vlonderpaden die je veilig verder leiden. Bij het einde van de vlonders volg je de brede aardeweg rechts langs vijvers. Waar je asfalt bereikt neem je links de Elsenstraat. Weldra loop je weer op een modderige aardeweg. Die zigzagt, eerst links dan rechts, en waar je in open landschap komt, kies je links de grasweg voorbij de slagboom. Je wandelt nu over een berm en een nieuwe brug leidt je over de Leigracht. Plots daal je de berm af en een zigzagpad brengt je op een T-sprong op de Dijleoever. Je volgt de oeverweg naar rechts, je passeert een appelfabriek op weg naar een **brede betonweg [3]**. Hier begint de eerste uitbreiding naar rechts. Het gewone traject gaat links en je negeert alle afslagen tot de **spooroverweg in Sint-Joris-Weert [4]**.

4 5 Juist ervoor kies je links de IJzerenwegstraat. Je stapt rechtdoor aan de Overwegstraat en je zoekt onmiddellijk het dolomietpad langs de sporen op. Je dwarst de Pastoor Tilemansstraat. Asfalt gaat over in grind en bij de volgende overweg steek je de sporen over en je stapt de asfaltweg uit. Op het einde ga je links de grote weg op. 300 m verder neem je scherp rechts de kasseien van de J. Scheepmansstraat. Ter hoogte van huisnummer 8 kies je links de verharde aardeweg en waar die rechts afbuigt volg je de smalle bosweg rechtdoor. Op het einde ga je links om 100 m verder weer rechts de afdaling naar het **Spaans Dak [5]** af te maken.

5 1 Het traject gaat voor het gebouw naar rechts over een smal bospad op de oever. Op het einde van de vijver vervolg je langs de oever van de volgende vijver. Twee vlonderpassages helpen je de natste plekken te trotseren. Op het einde van deze vijver ga je links. Je steekt de rijweg over naar de bosweg. Je klimt tot de picknicktafel en daar ga je schuin links verder over een smallere bosweg. Aan de voetbalvelden van OH Leuven krijg je asfalt onder de voeten geschoven. Tot **[7]** gaat het nu in rechte lijn. Je steekt de Waversebaan over, aan de Meuterweg houd je schuin links aan en een steile klinkerweg leidt naar het station van Oud-Heverlee. Je steekt de sporen over en volgt de Bogaardenstraat doorheen twee haakse bochten tot het begin van de kasseien aan de Leibeek. Hier is de **afslag voor de uitbreiding doorheen de beemden [6]**. Zonder de uitbreiding stap je gewoon door en 550 m verder steek je de **Dijlebrug van Korbeek-Dijle [7]** over. Je kiest links voor de klinkerweg. Voorbij de Ruwaal kies je het dolomietpad rechts langs de beek. Je negeert twee afslagen naar rechts en je bereikt een weg. Ga links en wandel links van deze gevaarlijke weg naar **Vallis Dyliae [1]** terug.

EERSTE UITBREIDING

3 – 8 Je volgt de **brede betonweg [3]** naar rechts. Op het einde kies je Wolfshaegen richting Huldenberg. Links aan de rand van de Dijlevallei liggen twee vierkantshoeven. Hoeve Celongaet is in renovatie. Bij het volgende kruispunt sla je links de Hoekstraat in. Bij de splitsing houd je rechts aan, je steekt de Lasne over en je bereikt de Leuvensebaan. Verpozen kan je tegenover de **kerk van Sint-Agatha-Rode [8]**.

8 – 4 Je keert aan de kerk op je stappen terug, je gaat over de Dijle en vervolgt het fietspad langs de Leuvensebaan. Onderweg komt de Dijle je gezelschap houden en rechts van de weg ligt het natuurgebied Grootbroek. Plots krijg je kasseien. Het is een restant van de jarenlange onmacht van Sint-Agatha-Rode en Sint-Joris-Weert, om een degelijke verbinding tussen hun dorpskommen te bekomen. Over een afstand van 200 m loopt die weg over Waals grondgebied. Op nauwelijks 200 m vervoegen drie beken de Dijle: de Leigracht (met schotbalk) die het Grootbroek ontwatert, de Marbaise (kapel) en de meanderende Nethen. Op het einde van de Roodsestraat, ga je even rechts om vervolgens links de Stationsstraat langs de spoorweg te volgen tot de **spooroverweg van Sint-Joris-Weert [4]**. Je steekt de hoofdweg over naar de IJzerenwegstraat.

TWEEDE UITBREIDING

6 – 9 Voor de Leibeek zoek je haaks rechts de **afslag van de tweede uitbreiding [6]**. Het onduidelijke bospad wordt natter en na enkele honderden meters volgt een kleine open grasplek met een boompje. Geraak je deze 10 m door zonder natte voeten dan is de rest doenbaar. Verder wandel je tussen de beek en de rietkragen van een grote droogvallende vijver. 400 m duurt deze prachtige passage met uitzichten over het moerasland en de beemden van Korbeek-Dijle. 100 m verder ga je over op de aardeweg rechts. Aan de spoorweg kies je links de grindweg langs de sporen en voor de **autowegbrug [9]** ga je links verder.

9 – 7 Je steekt de Dijle over, je negeert de tunnel onder de autoweg en het dolomietpad buigt naar links. Je negeert verder alle afslagen. De bunkers in de gehuchten getuigen van de Tweede Wereldoorlog. Ze laten ontploffen met dynamiet zou ook de nabije huizen de lucht doen invliegen. Voorbij Veeweide reiken de Dijlemeanders tot aan het pad. Je bereikt de **Dijlebrug in Korbeek-Dijle [7]**. Je steekt er de hoofdweg over naar de klinkerweg.

2. Heverleebos en Meerdaalwoud

DOORHEEN DE OVERBLIJFSELEN VAN HET KOLENWOUD

Ten zuiden van Leuven strekken zich enorme wouden uit. Terwijl het Heverleebos in tweeën gespleten werd door de aanleg van de E40, kan het Meerdaalwoud nog bogen op bijna 2000 ha nagenoeg onaangeroerde natuur. Hoewel er ook enkele vijvers zijn, wordt het grootste deel van het bos ingenomen door een verscheidenheid van loofbomen en aanplant van naaldhout. Waar kun je in Vlaanderen nog uren in bossen ronddolen zoals hier in het Heverleebos en het Meerdaalwoud?

AFSTAND 15,5 km, verkorting 10,2 km, korte uitbreiding 19,0 km, lange uitbreiding 24,1 km (paars).
VERTREK Kruispunt Zoet Water **[1]** bereik je door aan de kerk van Korbeek-Dijle de weg naar Oud-Heverlee te volgen. Na 800 m sla je rechts af naar Zoet Water (totaal 3 km).
AARD VAN DE WEG Aarde- en boswegen; tweemaal dwarsen van de drukke N25.
TOEGANKELIJKHEID Enkele moeilijke passages voor buggy's; onmogelijk voor buggy's na regenval.
ALTERNATIEVEN Parkeer je wagen voorbij de derde vijver **[2]** en je spaart twee maal 700 m uit.
ETEN & DRINKEN

- Ruim aanbod aan horecazaken aan het Zoet Water **[1]**.

DE WANDELTOCHT

1 – 3 Aan het **kruispunt Zoet Water [1]** volg je de betonweg tot **voorbij de derde vijver [2]**. Je slaat links de kasseiweg in door het bos. De stijgende weg gaat over in een bosweg. Aan de picknicktafel vervolg je rechtdoor en voorbij de bocht steek je een schuin dwarsende bosweg over langs de slagboom. Je passeert een huis, je dwarst een kasseiweg en je komt op de kaarsrechte Parnassusbergdreef ook nog langs een open plek met blokhut. Een Amerikaanse eik fungeert als nagedachtenis aan een boswachter. Waar Vlaanderens Fietsroute LF6b links gaat, moet jij rechts voorbij de 'Speelweide van de berg'. Op het einde buig je rechts in een bredere bosweg naar het **gemeentehuis van Vaalbeek [3]**. Juist ervoor kun je rechts even het dallenpad nemen naar de Kapel H. Maria Magdalena, ooit de kerk van Vaalbeek. De pastoor haalde het wijwater uit de nu dichtgeslibde poelen.

3 – 5 Aan het **kruispunt [3]** volg je schuin rechts de straat langs het politiebureau. Op de grote weg ga je links richting Blanden om na 50 m rechts de Groenendaalstraat te kiezen. De weg verandert meermaals van verharding en aan de T-sprong ga je rechts naar de **noordoosthoek van het militaire domein [4]**. Daar start zowel de verkorting als de beide uitbreidingen. Het gewone traject gaat rechtdoor. Een tunnel leidt onder de ingang van het militaire domein. De Prosperdreef dwarst een asfaltweg en exact 1 km verder (links oude zitbank en vuilnisbak, rechts MTB-bord van BLOSO) ga je bij een kruispunt rechts. Aan de volgende dwarsdreef vervolg je de Walendreef rechtdoor. Bij de fietsroutepaddestoel sla je links de Nethense Baan op. 50 m voorbij het begin van de **holle weg [5]** komen de uitbreidingen van links en vervolg je de uitzonderlijk lange holle weg.

5 – 6 Een hoge muur houdt je gezelschap en bij een poort neem je de aardeweg rechts. Eenmaal in het bos gaat die over in een breed bospad met een omheining aan je linkerzijde. Je negeert alle afslagen en 100 m voorbij een beekje kies je aan de viersprong bij de camping rechts het Denteneerpad. Je passeert onmiddellijk de **Hertebron [6]**, je zigzagt langs een vijver en waar een brede grindweg je pad schuin dwarst, sla je schuin links af.

6 – 1 Links zie je de gebouwen van de Kluis, bekend als kampplaats voor menige jeugdbeweging. Tot **[2]** gaat het in kaarsrechte lijn. Je passeert de afslag naar 'Speelbos Everzwijnbad' en voorbij de asfaltweg wandel je langs een omheining naar de **noordwesthoek van het militaire domein [7]**. Uiteindelijk bereik je de kapel gewijd aan Onze-Lieve-Vrouw van Steenbergen. Je gaat er rond en daalt verder af naar de **rijweg bij de derde en vierde vijver [2]**. 700 m naar links scheiden je nog van het **kruispunt bij het Zoet Water [1]**.

VERKORTING

4 7

Aan de **noordoosthoek van het militaire domein [4]** sla je rechts af. Je volgt de kaarsrechte aardeweg over een afstand van 2,3 km tot de **noordwestelijke hoek [7]**. Onderweg houdt de omheining even op om de Nethense Baan door het domein te laten. Aan **[7]** eindigt de verkorting en je slaat rechts de vergrinde dreef in.

UITBREIDING

4 9

30 m voorbij de **noordoosthoek van het militaire domein [4]** sla je links de tweesporenbetonweg in. Op het einde steek je de N25 over, je volgt het voetpad naar rechts en 100 m verder buig je schuin links een bosdreef in. Die eindigt bij een driesprong aan het **Godensalon [8]**. Je gaat er schuin rechts tenzij je de grote uitbreiding plant. Je wandelt steeds rechtdoor, daarbij tweemaal een grote bosweg dwarsend. Na een kleine knik bereik je een T-sprong waar je rechts de prachtige dreef dicht bij de bosrand volgt. Voorbij een slagboom bereik je een **parking [9]** in een bocht van een dalende grindweg.

9 5

Je volgt de weg bergaf. Je steekt de N25 schuin links over langs het kasseiwegje naar de Warandevijver. Na 100 m buigt die als grindweg scherp links weg. Aan het kruispunt op het einde van de vijver neem je de brede bosweg rechtdoor. Je volgt getrouw de oranje aanduidingen: tweemaal naar rechts, dan een forse klim in een holle weg, een brede bosweg dwarsen naar een aardepad, op de volgende grindweg rechts en direct het smalle bospad links voorbij een slagboom. 70 m verder verlaat je echter de oranje aanduidingen voor een dalend pad links. Het verbreedt en eindigt aan een weiland. Je volgt er het pad rechts langs de prikkeldraad. Boven duik je opnieuw het bos in en de uitbreiding eindigt bij een T-sprong waar je de **holle weg [5]** links induikt.

GROTE UITBREIDING

8 10

Aan het **Godensalon [8]** stap je schuin links verder. Na 100 m kies je rechtdoor de Schoonzichtdreef. Voorbij een steile klim neem je de grindweg schuin links die je rechtdoor volgt tot je na 1,8 km een schuilhut vindt. Je passeert de hut en je draait links mee. Waar de brede bosweg in een smal pad overgaat, sla je haaks rechts af. Op het einde van de afdaling steek je de kasseiweg schuin rechts over naar een aardeweg langs de bosrand. Na 900 m verlaat je het bos en aan de **T-sprong in open veld boven Mille [10]** houd je rechts aan.

10 9

Steeds rechtdoor aanhoudend passeer je het terrein van een modelvliegclub en een hoeve. 800 m voorbij de hoeve duikt de weg als kasseiweg in een holle weg. Je gaat er meteen naar rechts en voorbij het boswachtershuis leidt een prachtige dreef je opnieuw naar het bos. Voorbij de bosrand daal je af en in de bocht bij een **parking [9]** komt de gewone uitbreiding van rechts en blijf je de dalende hoofdweg naar links volgen.

3. Naar de Voervallei

PANORAMA'S OVER HET BRABANTS PLATEAU

Wandelde je de vorige dagen door halfopen en gesloten landschappen, dan staan vandaag meer vergezichten op het menu. Je steekt het plateau tussen Dijle en Voer twee keren over. Weidse uitzichten naar Leuven, het Meerdaalwoud en de RTBF-masten in Waver staan op het programma. Onderweg volg je het prachtige Voerpad tussen Bertem en Tervuren. Een streepje Zoniënwoud leidt de uitbreiders naar de druivenserres van Eizer, een gehucht van Overijse. De terugweg verloopt over het eenzame plateau.

AFSTAND 19,7 km, verkorting 15,1 km, uitbreiding 26,8 km (oranje).
VERTREK Vallis Dyliae
AARD VAN DE WEG Aarde-, bos-, dolomiet- en verkeersarme asfaltwegen.
TOEGANKELIJKHEID Mogelijk voor buggy's behalve na regenval.
ETEN & DRINKEN

- Twee cafés aan de kerk van Eizer (bij **[7]**).

DE WANDELTOCHT

1 → 2

Je volgt aan **Vallis Dyliae [1]** de hoofdweg naar links en voor Moeys neem je het pad rechts. Je kiest de eerste afslag links en bij huizen steek je de Ruwaal over richting kerk, tot je naar links kunt. Je steekt de Nijvelsebaan over naar de Hollestraat. Op het einde buig je tweemaal schuin links mee. Aan een betonafslag wandel je rechtdoor en aan het kruispunt steek je over naar de zandweg. Aan een kruispunt 800 m verder moet je haaks rechts. Aan de paardenstal buig je links af en je steekt de betonweg over naar de kapel van **Sint-Verone [2]**.

2 → 3

Door de Kapellestraat daal je af naar de Dorpstraat die je links volgt. Je gaat aan de haakse bocht de Voer over en je volgt het pad op de oever. Tweemaal steek je een asfaltweg over. Aan een vijver daal je de kasseiweg schuin links af langs het kasteel van Leefdaal. Voorbij de betonweg kies je schuin links de vergrindde dreef naar de kerk. Aan de Voerbrug wijk je rechts uit langs de oever. Aan de volgende asfaltweg verander je van oever. Daarna volg je de Dorpstraat rechtdoor en 50 m verder vind je weer een dolomietpad langs de Voer. Aan de asfaltweg in **Hertwinkel [3]** gaat de verkorting linksaf.

3 → 5

Het gewone traject zoekt de andere oever op. Na 1 km verlaat je noodgedwongen de oever voor een grindweg rechts. 75 m verder ga je links. Aan de viersprong wandel je rechtdoor de Dorpstraat in en aan de bocht leidt een pad je links naar de Voer. Je volgt die tot de **brug van Vossem [4]**. De uitbreiding blijft de beek trouw, het gewone parcours steekt de brug over en kiest het pad schuin rechts. Op het einde volg je de asfaltweg naar links om rechts de Varenberg te nemen. Aan de kapel ga je links verder en aan het voetbalveld kies je de Dorreweg rechts. Op het einde volg je de weg rechts en aan huisnummer 61 sla je scherp links een grindweg in. Grind wordt aarde en de weg loopt door langs twee bossen naar een hoeve. Je kiest er rechtdoor en in de holle weg vervangt aarde de kasseien. Je houdt rechtdoor aan, ter hoogte van een hoevecomplex wordt de weg verhard en je bereikt een **afslag rechts [5]**.

5 → 1

Je vervolgt de weg en verder verlaat je de betonweg voor een asfaltweg links, die als stenige aardeweg een holle weg induikt. Je gaat de weg Leefdaal-Neerijse 70 m links op om rechts een kasseiweg te nemen. Je dwarst het **fietspad [6]**, de aardeweg leidt je naar een treurwilg waar je rechtdoor aanhoudt, je passeert een bunker en een bronvalleitje, en voorbij een bos ga je bij een bocht scherp rechts een andere aardeweg in. Na een haakse bocht duik je een holle weg in, negeert alle afslagen en bereik je Korbeek-Dijle. Aan het tweede huis daal je scherp rechts een aardepad af. Tussen huizen door kom je aan de T-sprong bij het Begijnhof. Je volgt de kasseiweg naar links

LEEFDAAL

Net zoals Korbeek-Dijle is Leefdaal een Bertemse deelgemeente, samen met de hoofdgemeente ligt ze weliswaar in de vallei van de Voer. Je bereikt de gemeente langs de Sint-Veronakapel. Het eerste preromaanse kerkgebouw dateerde van rond 900. Eertijds was de kapel uit Lediaanse zandsteen vorstelijk bezit en de moederparochie van de streek. In de kapel staat een Merovingische sarcofaag. Langs het recentelijk aangelegd Voerpad wandel je voorbij het 15de-eeuwse kasteel met verbouwde donjon. In de 17de eeuw was het een lusthof in zand- en baksteenstijl met renaissance-invloed. Door de mooie verbindingsdreef wandel je in de richting van de Sint-Lambertuskerk die oorspronkelijk een Maasromaanse basiliek was uit ca. 1200.

en aan de hoofdweg scheiden 100 m naar rechts je van **Vallis Dyliae [1]**.

VERKORTING

Aan **Hertwinkel [3]** sla je de asfaltweg links in. Je steekt de betonweg en de Nollekensstraat over. Je negeert de grasweg links en je belandt op een kaarsrechte grasweg. Die eindigt op een T-sprong waar je links de grindweg door het bosje volgt en aan een kruispunt buig je links mee. Je steekt de weg Leefdaal-Neerijse over, je volgt even het voetpad rechts naar het betonnen fietspad door de velden. Na 1300 m bereik je een **kruispunt [6]** waar het gewone traject van de kasseien rechts komt. Je gaat er links.

UITBREIDING

Aan de **brug [4]** blijf je de beek volgen. Bij een vijver moet je wat zigzaggen naar een T-sprong waar je de kasseien rechts kiest. Je gaat door de opening in de muur en je neemt de asfaltweg links langs Vossemvijver. Na 500 m verlaat de asfaltweg de oever voor die van een langwerpige vijver. Je houdt rechtdoor aan, ook als de asfaltweg haaks afbuigt. Voorbij de laatste langwerpige vijver bereik je een muur. Je volgt die links en via een opening kom je op een weg. Je volgt die naar links en neemt de tweede weg rechts, de Beeldekensgatweg. Die buigt naar links, steekt een beekje over en aan de T-sprong vervolg je rechts. Je bereikt bij een oude poort weer een T-sprong. Opnieuw ga je rechts en je houdt rechtdoor aan tot je het Zoniënwoud verlaat. Je kiest links en 70 m verder ruil je de asfaltweg voor de aardeweg rechts. Beneden ga je links over een asfaltweg en voorbij huisnummer 53 loop je haaks rechts Overijse binnen. Juist voor de beek volg je links een grasweg die aan een kasseiweg overgaat in een dolomieten bospad. Op het einde vervolg je rechtdoor naar het **centrum van Eizer [7]**.

7 5 Je gaat er links, passeert de kerk en voorbij Jokke klim je rechts de Horenberg op. Na 1100 m krijg je kasseien te verduren, aan de T-sprong neem je de verharde aardeweg rechts en aan de gemeentegrens kies je scherp links. Bij een kapel uit 1871 volg je het voetpad naar links en dan ga je rechts naar Ganspoel. Voorbij het centrum voor slechtzienden gaat asfalt over in aarde. Bij een afslag naar rechts bergaf vervolg je schuin links. De afslag naar links 500 m verder neem je wel. Deze gaat even bergop voor een lange afdaling naar de **T-sprong [5]**. Je volgt de asfaltweg rechts.

7. Zelzate

MEETJESLAND, WASE POLDERS

Waar Keizer Karel naar verluidt veel 'meetjes' zag

Niets doet vermoeden dat de zee hier ooit dichtbij was. Zowel Assenede als Axel hadden toegang tot open water. Van de havens rest nu weinig en de zee, in de vorm van de Westerschelde, ligt mijlenver hiervandaan. In de plaats kwam het zeekanaal Gent-Terneuzen, dat als een blauw lint Zelzate en Zeeuws-Vlaanderen in tweeën rijt en het Meetjesland van het Waasland scheidt. Dat mensenhanden hier duizenden hectare land op de zee wonnen, is wel zichtbaar. De met bomen omzoomde dijken vertellen je de ontstaansgeschiedenis van dit gebied. Kreken en geulen tonen aan dat de strijd tegen het water niet altijd succesvol verliep.

EN ZEEUWS-VLAANDEREN

Onze logiestips: Waar je vroeger tol moest betalen, kun je nu fijn toeven in **B&B Tolkantoor**. Tijdens de week is dit voormalige tolhuis een rustpunt voor werknemers uit de buurt, in de weekends komen hier vooral toeristen die willen wandelen in de krekengebieden. Als je op wat luxe gesteld bent, kun je terecht in het **Hotel de Flandre** te Gent. In de negentiende eeuw waren zowel de schrijver Châteaubriand als de componist Johan Strauss Sr. al te gast in dit hotel. Nu ben jij dus aan de beurt.

Onze wandeltips: De eerste wandeling voert je door het krekengebied van Assenede en door Sas van Gent. Zeg nu zelf, klinken Canisvlietsche Kreek en Hollands Gat niet te mooi om dit te missen? Op de tweede tocht krijg je de polders van het 'Soete land van Waes' in de benen. Misschien kom je hier Reinaart de Vos wel tegen. Voor de derde wandeling steek je even de grens over tot bij onze noorderburen. Langs de Canisvlietsche Kreek gaat het over de Graaf Jansdijk en een oude zeesluis naar het stadje Axel.

Grensgeval

B&B TOLKANTOOR

Net buiten het centrum van Zelzate, op de rechteroever van het Kanaal Gent-Terneuzen, staat in een doodlopende straat een monumentaal gebouw: het voormalige Tolkantoor van Zelzate. Het werd in 1910 opgericht als douanepost voor de schepen, precies op de grens tussen België en Nederland. Voor de gevel werd een combinatie van blauwe hardsteen uit Soignies en Boomse baksteen gebruikt, het dak is bedekt met Luxemburgse leien. In de jaren vijftig werd de douanepost overbodig en het gebouw werd gebruikt als vredegerecht. Sinds 1979 raakte het in verval.

Eind jaren negentig waren Carlos Betsens en Christiane Van Dijck op zoek naar een ruimte om een atelier en een galerie te openen. Carlos is beeldend kunstenaar. Via een advertentie vonden ze het Tolkantoor. "Hadden we toen geweten wat ons te wachten stond, dan hadden we het misschien nooit gedaan. De gevel was amper zichtbaar, alles was

B&B Tolkantoor, Havenlaan 81, 9060 Zelzate
+32 (0)9 342 78 97, tolkantoor.zelzate@tiscali.be, www.tolkantoor.be
80 euro per nacht per kamer, ontbijt inbegrepen.

overgroeid met struikgewas, het dak stond op instorten, geen enkele ruimte was bewoonbaar", vertelt Carlos. Voor een atelier en een galerie was er ruimte zat en omdat Christiane geen zin had om elke dag voor haar werk van Zelzate naar Brussel te pendelen, wilde ze de kost hier verdienen met een bed & breakfast. Carlos en Christiane hadden meer dan drie jaar nodig om alles eigenhandig te verbouwen.

De oorspronkelijke vloeren zijn zo veel mogelijk behouden en de grote ramen, met smeedijzeren traliewerken, in hun oude glorie hersteld. Op de eerste verdieping zijn vijf ruime kamers met elk een kleine badkamer, tv en koffiezet. Elke kamer is anders, maar ze hebben allemaal een oosters tintje meegekregen. Voor de inrichting vond Christiane inspiratie op hun reizen door Azië: zachte en warme kleuren, minimale met smaak uitgezochte decoratie, degelijke bedden met donsdekens en linnen overtrek en aandacht voor details. Christiane houdt van de rust en kalmte die Aziaten uitstralen en wil hetzelfde bereiken met haar bed & breakfast. Alle kamers hebben uitzicht op de nieuwe marina vlak voor het huis. In de grote tuin wil Carlos ooit een beeldenpark creëren. Hij is er trots op dat ook de galerie ondertussen geopend is en dat hij na drie jaar zwoegen weer aan zijn hobby kan denken. Hij stelt niet alleen zijn eigen werk tentoon, maar geeft ook kansen aan jonge collega's.

De bed & breakfast draait op volle toeren: tijdens de week komen nogal wat gasten die voor bedrijven in de kanaalzone werken, maar in de weekends en tijdens de vakanties komen vooral toeristen die willen wandelen in de krekengebieden van Canisvliet of Assenede of van hieruit Gent verkennen.

Zachte en warme kleuren, minimale met smaak uitgezochte decoratie, degelijke bedden met donsdekens en linnen overtrek en aandacht voor details.

Opnieuw hotel

HOTEL DE FLANDRE

Na meer dan honderd jaar behoort het *Hotel de Flandre* in Gent weer bij de top van de stad. Het neoclassicistische gebouw aan de Poel werd in het begin van de negentiende eeuw gebouwd als luxehotel. Het heeft bijna honderd jaar dienstgedaan als gastenverblijf, maar werd later gebruikt als kantoorgebouw. Voor enkele Gentse investeerders was het een buitenkans om het hotel zijn oorspronkelijke bestemming terug te geven.

De ingang van het gebouw is een poort. Dat is geen toeval, want in de negentiende eeuw haalden koetsen de gasten af aan het toen verafgelegen Zuidstation. Bij het binnenkomen merk je al dat het respect van de nieuwe eigenaars voor het oude gebouw verder reikt dan de poort. Ze hebben de historische elementen perfect gecombineerd met een nieuwe decoratie en inrichting. Achter het oorspronkelijke gebouw is een stuk aangebouwd; het kleine binnenplaatsje vormt een mooie overgang naar de goed geïntegreerde nieuwbouw.

Overal worden de originele ruimtes en decoratie versterkt door moderne, warme kleuren en discrete verlichting.

Het is merkwaardig dat de originele vloeren overal nog in perfecte staat zijn: zowel de bakstenen in de ingang als de parketvloeren in de bar of de mozaïekvloer in de receptie. Martine Evers, hoteldirectrice, vertelt: “Het was belangrijk voor ons om de oorspronkelijke inrichting zo veel mogelijk te behouden en te beschermen. Het gebouw moest natuurlijk wel aangepast worden aan de veiligheids- en comfortnormen.” Het resultaat mag gezien worden. Overal in *Hotel de Flandre* worden de originele ruimtes en decoratie versterkt door moderne, warme kleuren en discrete verlichting. Bovendien is de inrichting

Hotel de Flandre, Poel 1-2, 9000 Gent
+32 (0)9 266 06 00, info@hoteldeflandre.be, www.hoteldeflandre.be
vanaf 145 euro per nacht, exclusief ontbijt.

minimaal gehouden om de volumes, de kleuren en de ornamenten nog beter tot hun recht te laten komen. Zowel in de gezellige loungebar als in de ontbijtruimte overheersen beige en wit.

Een combinatie van modern en klassiek meubilair geeft het hotel een trendy look. Ook in de kamers in het oude gebouw wordt die mix voortgezet: een antieke kast past wonderwel naast een hedendaags groot bed, het kraakwitte linnen contrasteert met een kleurige plaid.

Op de vierde etage zijn de oorspronkelijke personeelskamers omgebouwd tot lofts die een schitterend uitzicht bieden op het historische centrum van Gent. Alle kamers van dit viersterrenhotel beschikken over efficiënte badkamers, minibar, televisie en gratis draadloos internet.

In de negentiende eeuw waren zowel de schrijver Châteaubriand als de componist Johan Strauss Sr. al te gast in dit hotel. Dankzij de geslaagde renovatie en de hartelijke ontvangst vinden in de toekomst zeker vele andere bekende en minder bekende gasten hun weg naar *Hotel de Flandre*.

Zelzate praktisch

ALTERNATIEVEN

Wie in het Hotel de Flandre in Gent overnacht, rijdt telkens over Hoogstraat, rechts Peperstraat, Elisabethplein, Rabotstraat, links Basseveldestraat, rechts Van Wittenberghestraat, rechts N430 (Begijnhoflaan), aan Neuseplein links Voormuide, einde Muidepoort rechts Pauwstraat, rondpunt eerste rechts N456 en verder N424 (Vliegtuiglaan) naar de Kennedylaan en de R4 richting Zelzate. Aan de kerk van Zelzate verlaat je de R4 rechts voor de Havenlaan die je tot het einde volgt (22 km).

BEOORDELING

De wandelingen verlopen in een volledig vlak polderlandschap. In de natuurgebieden rond de kreken wandel je op aarde- en graswegen. Elders komt ook veel asfalt voor, zeker in Nederland. Toch zul je hier weinig verkeer vinden. Je kunt de wandelingen in elk seizoen doen.

HOE KOM JE ER?

MET DE TREIN Deze bestemming is niet met de trein bereikbaar.

MET DE AUTO Zelzate bereik je door de E40 ter hoogte van Gent te ruilen voor de R4 of door de E17 aan Antwerpen-Linkeroever te verlaten voor de N49-E34 richting Brugge. Bij het naderen van Zelzate neem je de afrit naar de R4 en het centrum. Ter hoogte van de kerk sla je de Havenlaan in, weg van de kerk. B&B Tolkantoor ligt op het einde van de straat.

KAARTEN

NGI topografische kaart 1/25.000, nr. 14/1-2 (Assenede - Zelzate) en 14/3-4 (Kruisstraat - Stekene).

INFORMATIE

- Toerisme Oost-Vlaanderen: Het Metselaarshuis, Sint-Niklaasstraat 2, 9000 Gent, ☎ 09 269 26 36, fax 09 269 26 09, www.tov.be, toerisme@oost-vlaanderen.be.
- Provinciaal infokantoor Meetjesland: Stadhuis Eeklo, Markt 34, 9900 Eeklo, ☎ 09 377 86 00, fax 09 377 59 54, www.toerismemeetjesland.be, toerisme.meetjesland@oost-vlaanderen.be.
- Toerisme Waasland: Grote Markt 45, 9100 Sint-Niklaas, ☎ 03 760 92 62, fax 03 760 92 61, www.toerismewaasland.be, info.waasland@oost-vlaanderen.be.
- www.zelzate.be en www.moerbeke.be.
- Toerisme Assenede: Boekhoutedorp 3, 9961 Boekhoute, ☎ 09 373 60 08 en Markt 4, 9960 Assenede, ☎ 09 341 90 80, fax 09 341 95 99, www.assenede.be, toerisme@assenede.be.
- Regio VVV Zeeuws-Vlaanderen: Markt 11-13, NL-4531 EP Terneuzen of Postbus 1166, NL-4530 GD Terneuzen, ☎ 0031 (0)115 62 10 22, fax 0031 (0)115 62 11 11, www.vvvzvl.nl, info@vvvzvl.nl.
- VVV-agentschap Axel: Postbus 17, NL-4570 AA Axel, ☎ 0031 (0)115 56 83 00, fax 0031 (0)115 83 88, www.axel.nl, axel@vvvzvl.nl.

MEETJESLAND

Ten westen van Zelzate begint het Meetjesland. Sommigen beweren dat 'meetjes' weiden zijn. Een ludiekere verklaring is dat Keizer Karel tijdens een bezoek aan de streek veel oude vrouwtjes of 'meetjes' zag. De reputatie van de keizer kennende hield de ouders hun dochters binnenshuis. Het landschap bestaat uit op zee gewonnen polders, afgebakend door met bomen begroeide dijken. De meeste zijn nu slapende dijken omdat in een later stadium nieuwe gebieden ingepolderd werden. De recentste polders en dijken liggen dan ook noordelijker, dichter bij de Westerschelde. De meeste polders dateren van de 16de-17de eeuw. De belangrijkste dijk is wellicht de Graaf Jansdijk. Van Knokke tot voorbij Terneuzen slingert hij door het Meetjesland. Hij mag beschouwd worden als de deltawerken of het Sigmaplan van de middeleeuwen. De kreken zijn restanten van de laatmiddeleeuwse overstromingen. Ten noorden van Assenede liggen de Rode en de Grote Geul, nu prachtige natuurgebieden.

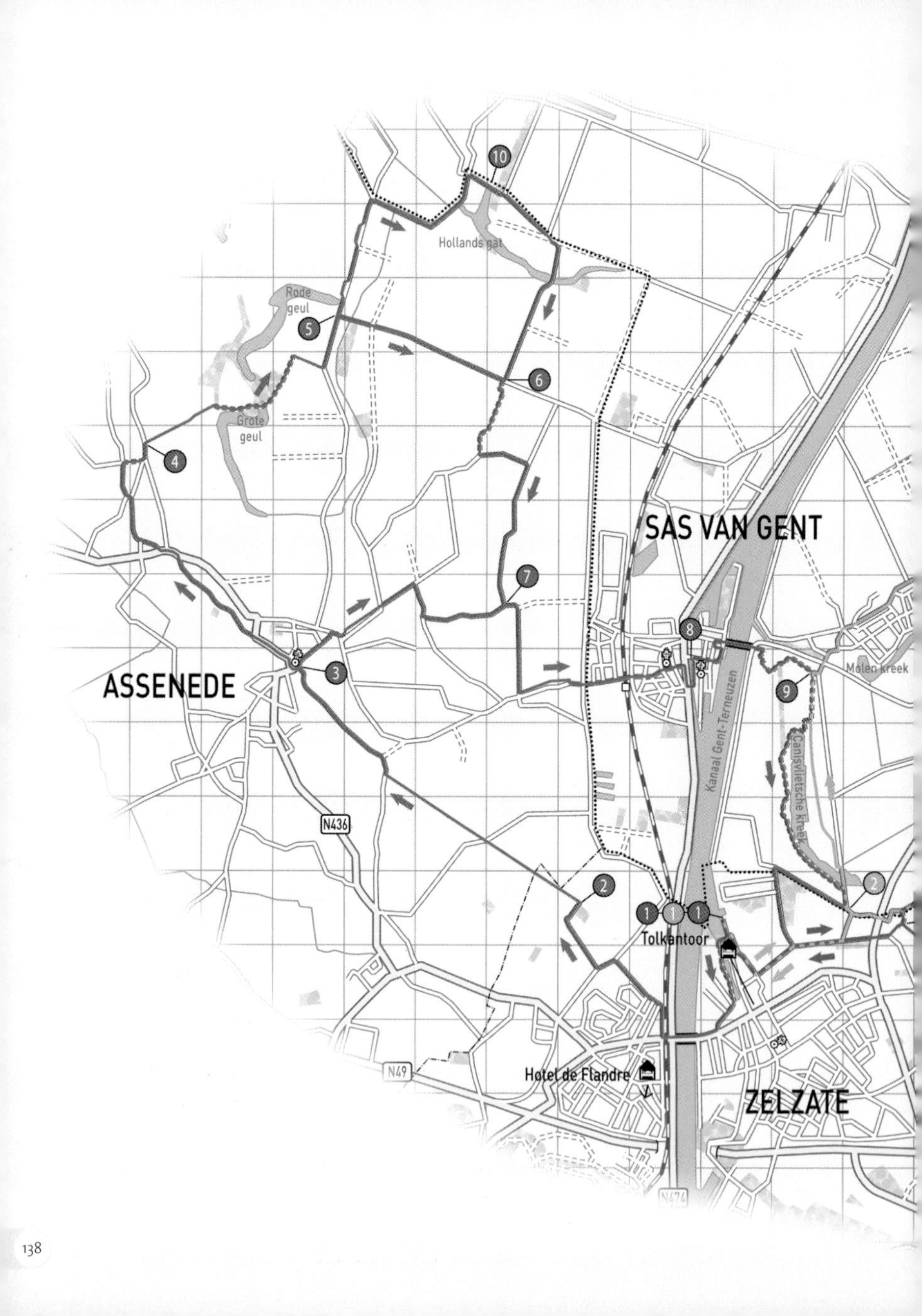
Hollands gat
Rode geul
Grote geul
SAS VAN GENT
ASSENEDE
Molen kreek
Kanaal Gent-Terneuzen
Canisvlietsche kreek
N436
Tolkantoor
Hotel de Flandre
N49
ZELZATE
N474

AXEL
Axelse kreek
N253
Zuiddorpe
Westdorpe
Grote kreek
Overslag
N49
0
600 m
3.000 m
7
8
4
5
6
3

1. Assenede

DE POLDERS VAN HET MEETJESLAND

Op deze wandeling staan alle ingrediënten van de Scheldepolders op het programma. Polders, dijken en afwateringskanalen zijn het werk van mensenhanden. Kreken daarentegen getuigen van overstromingen en de mislukkingen in de eeuwenlange strijd tegen het water. Nu is alle gevaar op waterrampen verdwenen en zijn de littekens van de middeleeuwse overstromingen idyllische plekjes geworden. Stille getuigen hiervan zijn het Hollands Gat en de Canisvietsche Kreek. Op de terugweg bezoek je ook Sas van Gent, de poort op Gent.

AFSTAND 24,0 km, verkorting 17,4 km, uitbreiding 26,8 km; kortere wandelingen: 11,2 km en 14,2 km (zie alternatieven, rood).
VERTREK B&B Tolkantoor
AARD VAN DE WEG Aardewegen en verkeersarme asfaltwegen.
TOEGANKELIJKHEID Mogelijk voor buggy's.
ALTERNATIEVEN Wil je kortere wandelingen, rijdt dan naar de kerk van Assenede **[3]**. De gewone lus **[3]**-**[4]**-**[5]**-**[6]**-**[7]**-**[3]** bedraagt dan 11,2 km, de uitbreiding over **[10]** 14,2 km waarbij het traject **[7]**-**[3]** de verkorting in omgekeerde zin is. De kerktoren van Assenede **[3]** is dan je baken.
ETEN & DRINKEN

- Meerdere mogelijkheden aan de kerk van Assenede **[3]**.
- Taverne De Vlaamse Jager **[7]**: Kasteeldijkstraat 13, 9960 Assenede.
- Meerdere mogelijkheden aan het haventje van Sas Van Gent **[8]**.

DE WANDELTOCHT

1 3

Aan **B&B Tolkantoor [1]** keer je terug en je volgt de eerste afslag rechts. Voor de haakse bocht steek je links door naar een graspad in het park. Je volgt het rechtdoor en aan de Y-splitsing ga je rechts. Op de parking doe je dat opnieuw en je steekt over naar de Boultonstraat. Op het einde draai je de R4 rechts op. Voorbij het kanaal, de lichten en de spoorbrug neem je rechts de trappen naar een asfaltweg langs de spoorlijn. Die buigt links in de Groene Briel. Je negeert de zijstraten en je vervolgt een asfaltpad. Op het einde sla je links af en voor huisnummer 98 kies je rechts de private grindweg. Op het einde ga je links de **voormalige**

ASSENEDE

Het is mogelijk dat de markt van Assenede dateert van de 6de-8ste eeuw. Samen met Boekhoute, Axel en Hulst vormde het de Vier Ambachten, die in de 13de eeuw een keure kregen van de Graaf van Vlaanderen. Toen was Assenede een welvarende plaats met een open verbinding naar zee, de Vlietbeek is daarvan een overblijfsel. In 1488 overstroomde het noorden van Assenede. Om verder onheil te vermijden werd in 1492 de Landdijk of Graaf Jansdijk gebouwd.

spoorbedding [2] op. Je volgt het tracé over een afstand van 2 km tot je de Kloosterstraat rechts neemt. Bij de driesprong houd je links aan tot de **kerk van Assenede [3]**.

3 4 Daar gaat de verkorting naar rechts. Het gewone parcours zoekt achter de kerk de Leegstraat richting Boekhoute op. Voorbij de basisschool kies je rechtdoor het asfaltweggetje voor plaatselijk verkeer. Op het einde ga je links verder, je negeert de weg naar Boekhoute, maar 80 m verder neem je wel de Knotwilgenstraat. Je volgt de tweede afslag links, die onmiddellijk op een T-sprong uitkomt waar je rechts de Wildestraat ingaat. Net voor de afslag Vliet sla je rechts de Kapellewegel in. Op het einde vervolg je naar links tot op de Kapellestraat die je links naar de **Doornendijkstraat [4]** brengt.

4 6 Je slaat de grindweg in en aan de Y-splitsing 700 m verder ga je enkele meters naar links om rechts via een aardepad de dijk op te kruipen. Links en rechts zijn mooie uitzichten op de Grote Geul en de Rode Geul. Na 900 m leiden enkele treden de dijk af en vervolg je rechts. Op het einde van de kasseien sla je links de Hollekensstraat in. Eenmaal kun je de smalle weg verlaten over de parallelle grindweg die naar een hoeve onder de dijk leidt. Aan de afslag bij een **Mariagrot [5]** begint de uitbreiding. Het gewone traject gaat rechts de Oude Molenstraat in. Je dwarst de Vlietbeek en langs de Mariapolderdijk bereik je na 1,5 km de **Gezustersstraat [6]**.

6 8 Je kiest er rechts de Standaertwegel doorheen een doorbraak in de dijk. Het pad groeit uit tot een aardeweg en op het einde volg je de brede asfaltweg naar links. Bij de Vijfhonderd Gemeten sla je rechts de betonweg in die eindigt bij de **Vlaamse Jager [7]**. Je stapt links verder door een dreef, 125 m verder buigt de weg haaks rechts af en juist voor de T-sprong sla je links de Albertpolderstraat in. Die mondt uit op de hoofdweg die je rechtdoor volgt. Aan het volgende kruispunt stap je Nederland binnen. Je houdt steeds rechtdoor aan en je passeert een spoorlijntje, bolwerk Generaliteit en de kerk voor je het **haventje van Sas van Gent [8]** bereikt.

8 9 Je gaat rechts tot een kleine ophaalbrug je aan de overzijde van het water brengt. Je volgt de oever naar links tot het einde van de waterkom. Daar stap je de straat rechts in en aan het Kanaal Gent-Terneuzen buig je links mee tot juist voor de brug. Hier kies je links de trap en steek je de ophaalbrug over. Op het einde zoek je rechts de trap naar de kanaaloever. Beneden ga je onmiddellijk scherp links langs het brugtalud. Je houdt de woonwijk rechts en je komt op een aardeweg die naar een **rotonde [9]** leidt.

9 1 Je volgt de weg rechts en bij het begin van de rechte dreef ga je schuin rechts het natuurgebied Canisvliet in. Door een jong bos bereik je na 400 m een dwarspad dat je rechts volgt. Tussen twee opstapjes wandel je even langs de kreek. Voorbij het tweede sla je haaks links af. Je volgt nu op enige afstand de oever van de kreek. Waar mogelijk kies je links de paden door het kreekbegeleidende bos. Voorbij het bos brengt een grasstrook je naar een dreef die je rechts volgt. Aan de viersprong bij Zelzate sla je de weg rechts in. Na 650 m sla je links af. Onmiddellijk verlaat je Nederland en door een industriezone wandel je verder tot de T-sprong waar je rechts gaat tot het kerkhof waar je opnieuw rechts de klinkerstraat inslaat. Aan huisnummer 70 klim je links de kaaidijk op en daar rechts ligt **B&B Tolkantoor [1]**.

VERKORTING

3 7 Aan de **kerk [3]** kies je rechts de Hoogstraat. Aan het einde volg je de kasseien naar rechts en 100 m verder neem je de eerste straat links. Waar de betonweg links afbuigt, houd je rechtdoor aan. Je kiest de Duivelseindestraat en dan de Kasteeldijkstraat tot de **Vlaamse Jager [7]** waar het rechtdoor verder moet.

UITBREIDING

5 6 Aan de **Mariagrot [5]** wandel je rechtdoor. Tweemaal kun je een parallelle grindstrook aan de voet van de dijk benutten. Bij de Zwarte Sluiswatering ga je rechts de Scheurhoekstraat op de grens in. Je gaat over de Vlietbeek en na een bocht komt rechts het **Hollands Gat [10]** in zicht. Een haakse bocht naar rechts leidt je over kasseien aan de voet van de dijk verder. Je negeert de afslag links en op de T-sprong ga je even rechts om onmiddellijk links het asfalt van de Gezustersstraat te volgen. Na een haakse bocht steek je het Hollands Gat over en in rechte lijn gaat het naar de **Oude Molenstraat [6]**. Je steekt de weg schuin links over naar een aardepad.

2. Wachtebeke

DE WASE POLDERS

Vandaag staat het 'Soete land van Waes' op het menu. Menig stukje natuur staat je te wachten langs de Langelede, de Grote Kreek en de Sint-Elooiskreek. De enige bewoning op je weg is die van het slapende grensgehucht Overslag. Op de terugweg speel je haasje-over met de grillige Nederlandse grens. In de vlakke polders is er tijd om te mijmeren over het dierenepos 'Van den Vos Reynaerde' dat waarschijnlijk in de iets verderop gelegen maar verdwenen abdij van Boudelo geschreven werd.

AFSTAND 17,7 km, verkorting 10,8 km, uitbreiding 25,0 km (paars).

VERTREK B&B Tolkantoor

AARD VAN DE WEG Aardewegen en verkeersarme asfaltwegen.

TOEGANKELIJKHEID Mogelijk voor buggy'.

ALTERNATIEVEN Je kunt de wandeling inkorten door met de wagen naar **[2]** te rijden. De afstanden worden dan 3,6 km korter.

ETEN & DRINKEN

- Café 't Hoeksken en St. Sebastiaan aan de kerk van Overslag (juist voor **[4]**).
- Restaurant Rode Sluis (voorbij **[7]**): Kruisstraat 76, 9180 Moerbeke, ☏ 09 346 80 24, 📠 09 346 84 02, 💻 http://moerbeke.com/rodesluis/, ✉ rodesluis@moerbeke.com, open vanaf 11.00 u, ma.-di. gesloten behalve feestdagen.
- Restaurant 't Polderhuis (voorbij **[7]**): Kruisstraat 74, 9180 Moerbeke, ☏ 09 346 60 81, ma.-di. gesloten.

1 – 3

Aan **B&B Tolkantoor [1]** keer je terug tot je links de kaaidijk af kunt. Je volgt er rechts de klinkerstraat tot de grote weg bij het kerkhof. Je gaat er links de Sint-Stevenstraat in. Bij huisnummer 50 vervolg je rechtdoor en steek je voorzichtig de expresweg over. Aan de Y-splitsing kies je de betonweg links en in de bocht bereik je een **grindafslag voor een Fluxysverdeelpunt [2]**. Je loopt de betonweg verder af en aan de T-sprong ga je links richting Wachtebeke. 300 m verder kies je rechts de Blaarstraat. Op het einde stap je rechts een andere betonweg op die na een haakse bocht afstevent op de **Langeledevaart [3]**. Hier begint de verkorting naar links.

3 – 4

Het gewone traject volgt het fietspad op de oever naar rechts. Aan de brug steek je de Langelede over en je vervolgt in de Bosstraat rechtdoor. In de flauwe bocht na 350 m ga je over op de aardeweg links. Op het einde volg je de betonweg naar rechts. Enkele zigzaggen verder duikt die een naaldbosje in en op het einde van die passage sla je rechts een aardeweg in. Voorbij het laatste huis wandel je verder over een grasweg. Een haakse bocht naar links brengt je in een open landschap, je negeert een aardeweg links en na twee haakse bochten steven je af op Overslag. Je gaat de hoofdstraat links op en net voorbij de afslag naar Zelzate sla je rechts een straat in. De asfaltweg gaat over in beton en passeert buurthuis Snoopy. 300 m verder begint de uitbreiding aan de **afslag naar de Plassenstraat [4]**.

4 – 6

Het gewone traject volgt de Plassenstraat. Op het einde steek je schuin links over naar een grindweg en aan grenspaal 297 stap je rechtdoor over een asfaltweg Nederland binnen. Je negeert twee klinkerafslagen naar links en de Rode Sluisweg en onder populieren bereik je het **kruispunt met de Verbindingsweg [5]**. Je wandelt er rechtdoor. 150 m verder, aan de eerste hoeve links, neem je een aardeweg links onmiddellijk gevolgd door de betonweg links. Je verlaat hier Nederland. 500 m verder verlaat je de betonweg naar rechts over een grindweg langs de visvijver van Het Loze Vissertje. Na 900 m eindigt die in een knik van een betonweg die je rechtdoor volgt over de Sint-Elooiskreek. Snel daarna bereik je aan het kruispunt opnieuw de Nederlandse grens. Je volgt de eerste weg naar links. Alle afslagen negerend bereik je de **Oudenburgsesluis [6]** waar de verkorting van langs de Langelede komt.

6 – 1

Je vervolgt richting Zelzate. Tot **[2]** wandel je op de grens. Na 250 m volg je schuin rechts de fietsweg naar Axel. Aan grenspaal 307 en fietsknooppunt 83 kies je links de Stekkerweg naar knooppunt 85. Je volgt de zigzaggende weg, je negeert bij een bocht naar rechts een grindafslag links met een bord van bebouwde kom (?), aan de volgende nu linkse bocht met afslag rechts, buig je schuin links mee. Bij de volgende bocht naar rechts – je bent nu nauwelijks 200 m van de expresweg – kies je links de grindweg doorheen de houtwal naar het **Fluxysstation [2]**. Over dezelfde weg als bij het heengaan wandel je terug. Je gaat dus rechts, aan de Y-splitsing opnieuw naar rechts, je steekt de expresweg over en je negeert alle afslagen tot het kerkhof waar je de klinkerstraat rechts inslaat. Aan huisnummer 70 klim je links de kaaidijk op en daar rechts ligt **B&B Tolkantoor [1]**.

VERKORTING

3 – 6

Aan de **Langelede [3]** volg je de betonweg links langs het water. Na 1,4 km bereik je **Oudenburgsesluis [6]**, waar de inkorting eindigt. Je gaat er links de asfaltweg op richting Zelzate.

UITBREIDING

4 – 7

Aan de **afslag [4]** vervolg je rechtdoor de betonnen Bovenhoek. Voorbij huisnummer 33 sla je rechts een kasseiweg in. De zigzaggende weg gaat in grind over en eindigt in een knik van een betonweg die je links volgt. Ook deze weg houdt van haakse bochten en tegenover huisnummer 10 verlaat je hem voor een andere betonweg naar rechts. Bij de overgang van loof- naar naaldbos neem je dan weer links. Bij het verlaten van het bos kies je rechts de grasweg langs de bosrand. Voor de speelzone buig je links af. Nog geen 100 m verder ga je rechts verder naar serres. Op de T-sprong ervoor volg je de grasweg naar links tot je een grote weg bereikt. Je volgt hem naar rechts. 750 m verder – je bent intussen in Moerbeke-Waas – sla je ter hoogte van enkele hangars links de Polderstraat in. De kasseiweg leidt na twee haakse bochten naar de **brug over de Grote Kreek [7]**.

7 – 5

Voorbij de brug volg je schuin rechts een aardeweg op de oever van de kreek. 600 m verder buigt die van de oever weg en een aardepad brengt je terug op de weg die hier geasfalteerd is en die je rechts vervolgt. Aan het kruispunt na 200 m ga je rechtdoor over de kasseistrook en dan verder de brede betonweg op, tenzij je even wil pauzeren bij de horecazaken iets verder rechts. De Kruisstraat gaat in Nederland over in de Provinciale Weg, maar je neemt onmiddellijk links de Rode Sluisweg, een dijkweg onder populierenbomen. Je negeert de opritten naar de hoeve aan je rechterhand, je steekt een sluizencomplex over en je negeert de afslag naar de Moerbekepolderweg en volgt de weg naar fietsknooppunt 76. Dat doe je ook aan de volgende T-sprong door naar rechts te gaan (Kromhoekseweg). Voorbij twee haakse bochten kies je links de Verbindingsweg. Op het **einde van de Verbindingsweg [5]** eindigt de uitbreiding en bewandel je rechts de Zuiddorpseweg.

3. Axel

DE ZEEUWSE POLDERS

De derde wandeling verloopt integraal op Nederlandse bodem. Doorheen het natuurgebied langs de Canisvlietsche Kreek bereik je Westdorpe, een straatdorp boven op de Graaf Jansdijk. Voorbij een oude zeesluis steven je af op Axel, mooi gelegen aan de gelijknamige kreek. Je zoekt er het natuurgebied Smitsschorre op, geen slikken of schorren, wel een opgehoogd gebied met golfterrein, zweefvliegveld en nota bene een kunstbos. Op de terugweg bewandel je kilometerslange polderwegen. Het uitzicht reikt tot Sas van Gent en Zelzate.

AFSTAND 16,5 km, verkorting 10,6 km, uitbreiding 26,6 km of 27,1 km via Axel-centrum (oranje).
VERTREK B&B Tolkantoor
AARD VAN DE WEG Aardewegen en verkeersarme asfaltwegen.
TOEGANKELIJKHEID Mogelijk voor buggy's.
ALTERNATIEVEN Je kunt de wandeling inkorten door met de wagen naar **[2]** te rijden. De afstanden worden dan 3,0 km korter.
ETEN & DRINKEN

- Café In 't Oude Raedhuis naast de kerk van Westdorpe **[3]**.
- Kantine van zweefclub EZAC (voor **[8]**): De Smitsschorre, Justaasweg 5, NL-4571 NB Axel, 0031 (0)115 56 20 66, www.ezac.nl, info@ezac.nl, meevliegen mogelijk.
- Meerdere mogelijkheden aan de rotonde op de alternatieve uitbreiding in Axel.

DE WANDELTOCHT

1 → 2

Aan **B&B Tolkantoor [1]** keer je terug tot je links de kaaidijk af kunt. Je volgt er rechts de klinkerstraat naar de grote weg bij het kerkhof. Je gaat er links de Sint-Stevenstraat in. Bij huisnummer 50 sla je links af en 200 m verder bereik je de grens bij de **Stekkerweg [2]**.

2 → 3

Je gaat rechtdoor, steekt de Canisvlietsche Kreek over en bij het verkeerssas kies je schuin links de grasstrook die parallel loopt met de weg. Het pad buigt geleidelijk af, trekt een jong bos in en je blijft steeds rechtdoor gaan behalve voor twee uitzichtpunten

(links) over de vochtige graslanden langs de kreek. Je vindt er een voor en een voorbij een dwarspad. Na 1,5 km beland je voorbij het bos opnieuw op de rijweg. Je steekt de rotonde over en voorbij Bezoekerscentrum De Baeckermat neem je links de geasfalteerde Vissersverkorting. Op het einde volg je de klinkerweg naar rechts en 500 m verder ruil je de Graaf Jansdijk voor de rode klinkers van Spoorweg. Je negeert de Kapittelstraat en je bereikt de **kerk van Westdorpe [3]**, waar rechts de verkorting begint.

3 4 Het hoofdtraject gaat rechtdoor over de Graaf Jansdijk B. Juist voorbij de tweede afslag naar de Axelsestraat verlaat je de dijkweg voor de parallelle asfaltweg schuin links. Je kunt nu beter genieten van het uitzicht over de Autrichepolder. 700 m verder kom je weer op de dijkweg en weldra bereik je de **T-sprong bij Zwartenhoek [4]**. De uitbreiding gaat hier links, de hoofdroute volgt rechts de Eversdam.

4 6 Bij de lichten steek je de expresweg over en je slaat onmiddellijk rechts een parallelle asfaltweg op. 200 m verder ga je met de Reynaertroute opnieuw rechts om de Eversdam verder af te stappen. Je negeert de aardeweg langs de kreek, maar bij de tweede afslag komt de uitbreiding je tegemoet en sla je rechts de **Middenweg [5]** in. De kaarsrechte weg brengt je na 3 km aan het **kruispunt met de Molenstraat [6]**.

WESTDORPE

Westdorpe is met zijn lintbebouwing het langste dorp van Nederland. In Museum Oud-Westdorpe krijgt de bezoeker een goed beeld van het verenigingsleven, de bierbrouwerij en het godsdienstige leven in het dorp. Gelegen bij Westdorpe ligt het 42 ha metende natuurgebied Canisvliet. Na een wandeling is het goed toeven bij De Baeckermat. Het bezoekerscentrum laat zien dat natuur, milieu en landbouw dicht bij elkaar liggen. Dit gebeurt met een hoog doe-gehalte.

6 1 Je gaat rechtdoor de Spuitvakweg in en na drie haakse bochten mondt die uit op een T-sprong aan de grens. Je gaat er rechts over het traject van wandeling 2, maar aan de bocht naar rechts vervolg je richting fietsknooppunt 72. Je steekt voorzichtig de expresweg over en je wandelt over een asfaltweg naar het **kruispunt met de Vissersverkorting [2]** van het begin van de wandeling. Over dezelfde weg als bij het heengaan keer je terug. Je wandelt dus links Zelzate binnen, op de T-sprong vervolg je rechts tot het kerkhof waar je de klinkerstraat rechts inslaat. Aan huisnummer 70 klim je links de kaaidijk op en rechts ligt **B&B Tolkantoor [1]**.

VERKORTING

3 6 Aan de **kerk van Westdorpe [3]** sla je rechts de Molenstraat in. Je negeert alle afslagen, je steekt de Molenkreek over en de weg eindigt op de ringweg rond Westdorpe. Je volgt er links het fietspad en aan de lichten steek je de expresweg over naar het verdere verloop van de Molenstraat. 300 m verder, bij het kruispunt met de **Middenweg [6]**, eindigt de verkorting en sla je rechts de Spuitvakweg in.

UITBREIDING

4 7 Aan de **T-sprong van Zwartenhoek [4]** vertrekt de uitbreiding naar links, verder de Graaf Jansdijk volgend door het gehucht De Batterij. Voorbij de Gemeenschappelijke Weg passeer je de Zwartenhoekse Zeesluis. Wat verder sla je de Ameliaweg in. De weg daalt af in de Axelse Vlakte, je negeert twee afslagen naar rechts en je bereikt een bedrijf. Daar volg je de aardeweg schuin rechts langs de houtkant en rond je het bedrijventerrein. Uiteindelijk beland je op nieuwe wegen: je volgt de Autrichehavenweg naar rechts, steekt de goederenspoorlijn over en slaat dan de volgende grote weg rechts in. Na 1,5 km eindigt die weg op een T-sprong waar je rechts naar Axel stapt. Je steekt de overweg over en wandelt onder een brug door. 500 m verder kun je rechts het ommetje maken langs een sluis op de Axelse Kreek. Aan het einde van de kreek bereik je bij een **rondpunt Axel [7]**.

7 – 8 Wie wil verpozen en het niet riskeert of de cafetaria van de zweefvliegclub al of niet open is, stapt rechtdoor verder en bereikt na 1,2 km een kruispunt met enkele horecazaken. Na de pauze ga je dan rechts verder richting Antwerpen (rechts op het fietspad lopen). 300 m voorbij de watertoren sla je rechts af. Je volgt de asfaltweg door het jonge bos langs de oprit naar zweefclub EZAC tot aan de **parking bij het clubhuis [8]** waar je links het grindpad voorbij een slagboom volgt. Wil je sneller naar het golfterrein, dan moet je aan het **rondpunt Axel [7]** rechts de Lageweg nemen. Net voorbij het motocrossterrein ga je over in de Justaasweg. De asfaltweg gaat voorbij de slagboom door het golfterrein. Je negeert de afslag naar de vliegclub, zo bereik je de **parking bij het clubhuis [8]**.

8 – 5 Je gaat er rechts een grindpad voorbij een slagboom op, langsheen de landingsbaan. Op de viersprong stap je rechtdoor en aan het asfaltweggetje ga je links. Aan de knik in de weg kies je rechts en in dalende lijn gaat het nu naar de grote weg. Je steekt die over naar de parallelle weg die je rechts volgt, van hoogspanningspaal 21 tot juist voor nummer 17. Daar wandel je links de Groenedijk in. 500 m verder sla je de Haverlandeweg in. Op diens einde ruil je die voor de Eversdam rechts en 400 m verder bereik je een afslag en eindigt de uitbreiding. Het gewone traject komt je tegemoet en je slaat links de **Middenweg [5]** in.

8. Maarkedal Ronse

VLAAMSE ARDENNEN EN

De Vlaamse Ardennen mogen dan maar tot 150 m boven de zeespiegel reiken, toch doen ze hun naam alle eer aan. Het landschap met beboste bronbeken is diep ingesneden en de steile hellingen bieden je mooie vergezichten over de Scheldevallei. Niet alleen de Ronde van Vlaanderen zoekt de steile bulten op, ook menig wielertoerist test hier zijn conditie. Zelfs schilders vinden er inspiratie om de ongerepte natuur en het boerenleven op het doek te vereeuwigen. Het loont de moeite even de taalgrens over te steken om eenzelfde landschap te vinden in het Pays des Collines.

Over de naamgeving van het Muziekbos bestaat grote onenigheid. Was het bos onder de Romeinen een Muzenberg?

PAYS DES COLLINES

Onze logiestips: In **Hostellerie Shamrock** logeer je in het voormalige jachthuis en buitenverblijf van de Gentse baron de Kemmeter. Ondanks het feit dat zijn vrouw hem stilletjes voor gek verklaarde, startte Claude met een gastronomisch restaurant en logement met vijf hotelkamers. Dat je in een gemeentehuis niet alleen terecht kunt om te trouwen of allerlei papieren op te halen, bewijst **De Wingerd** in Dikkele. Zij koos voor eenvoudige maar gepaste accenten om het huis knus en gezellig te maken.

Onze wandeltips: Alle aspecten van de Vlaamse Ardennen komen aan bod tijdens de drie wandelingen die hier beschreven worden. De eerste tocht leidt je, deels over de Waals Pays des Collines, onder anderen naar het veelbesproken Muziekbos. De tweede wandeling voert je naar Schorisse, het geboortedorp van Omer Wattez, de man die de naam 'Vlaamse Ardennen' bedacht. Tijdens de derde tocht ligt de schrik van alle wielrenners, genaamd Koppenberg, op de loer. Klimmen maar!

Gastronomisch genot

HOSTELLERIE SCHAMROCK

Al meer dan dertig jaar is *Hostellerie Shamrock* in Maarkedal een gastronomisch referentiepunt in de Vlaamse Ardennen. De opmerkelijke villa ligt idyllisch verscholen in het heuvelachtige landschap en is het ideale verblijfsadres voor wie zowel van de natuur als van de tafel wil genieten.

Het imposante landhuis werd in 1928 in Engelse cottagestijl gebouwd voor de Gentse baron de Kemmeter die het gebruikte als jachthuis en buitenverblijf. Claude De Beyter kreeg in het begin van de jaren zeventig de gelegenheid om het gebouw te kopen. Zijn vrouw verklaarde hem gek, maar Claude zette door, want hij zag hier de kans van zijn leven om een gastronomisch restaurant met vijf hotelkamers te openen. Het echtpaar behield het oorspronkelijke interieur en Claude gebruikte zijn kennis en creativiteit om een verfijnde menukaart samen te stellen. Door de hoge kwaliteit van de gerechten en de uitzonderlijke ligging van het gebouw kwam de vraag van Relais & Châteaux om lid te worden van de gerenommeerde hotelvereniging.

Over de jaren heeft Claude de gastronomische evolutie op de voet gevolgd: "Toen we begonnen, waren de klassieke Franse gerechten het enige referentiepunt. Vandaag wordt er lichter en gezonder gegeten en zijn de eetgewoontes beïnvloed door Zuid-Europese en oosterse gerechten". Hij vindt het een uitdaging om mee te doen met die evolutie. Hoewel de klassieke gerechten voor hem de basis blijven, interpreteert hij die creatief met een subtiel gebruik van tuinkruiden.

Hostellerie Schamrock, Ommegangstraat 148, 9681 Nukerke (Maarkedal)
+32 (0)55 21 55 29, info@hostellerieschamrock.be, www. hostellerieschamrock.be
190 euro per nacht per kamer, ontbijt inbegrepen. Speciale arrangementen tijdens de wintermaanden. 'Degustatiemenu' vanaf 60 euro.

De kruidentuin is voor hem trouwens een belangrijke bron van inspiratie: hier komt hij tot rust en bedenkt hij gerechten.

Twee jaar geleden werd het hotel volledig gerenoveerd. Het authentieke interieur bleef bewaard, maar de vijf kamers kregen een eigentijds accent. Elke kamer kijkt uit op de grote tuin ontworpen door Jacques Wirtz. Hij zorgde voor een betoverende schakering van verschillende tinten groen. De kleuren van de romantische kamers zijn aangepast aan het uitzicht op de tuin. In de moderne badkamers werd voor een combinatie van marmer en hout gekozen. Elke kamer kreeg de naam van een lievelingskruid en wie een goede neus heeft, zal merken dat elke kamer geurt naar het kruid waarnaar ze genoemd werd. Op de gelijkvloerse verdieping zorgen het stijlvolle restaurant en de cosy bar voor een verfijnde luxe.

Door de inventieve gerechten (17/20 in de GaultMillau 2007), de warme ontvangst en het authentieke interieur straalt *Hostellerie Shamrock* charme en verfijning uit.

De kleuren van de romantische kamers zijn aangepast aan het uitzicht op de tuin.

Genot in het gemeentehuis

DE WINGERD

Wie eenmaal de weg naar Dikkele kent, heeft het niet moeilijk om De Wingerd te vinden. Het dorp telt slechts één straat en De Wingerd herken je aan de felrode gevel.

Greta gaf er de voorkeur aan om haar zaak om te dopen tot *De Wingerd*. "Die naam straalt meer gezelligheid uit".

Voor de fusie was *De Wingerd* het gemeentehuis van het duizend jaar oude dorp. In die tijd kon er nog gecumuleerd worden, want tegelijkertijd was het ook een café, een slagerij en een plaats waar het vee gewogen werd. De familie Heytens kon twintig jaar geleden het vervallen U-vormige huis kopen en begon het volledig op te knappen en te renoveren. Greta Heytens, die een architectenopleiding genoot, heeft een natuurlijke aanleg om een huis knus en gezellig te maken. Ze kiest voor eenvoudige maar gepaste accenten om een serene sfeer te creëren.

Toen een paar jaar geleden de kinderen het huis uit gingen, richtte Greta de kamer in het zijgebouw in om ze te verhuren aan weekendtoeristen. Daarna werden ook de vijf kamers in het hoofdgebouw heringericht, zodat ze nu het volledige huis kan verhuren aan gezinnen of groepen van vrienden die van de rust en de natuur willen genieten.

Hoewel iedereen in Dikkele het gebouw nog kent als het oud-gemeentehuis, gaf Greta er de voorkeur aan om haar zaak om te dopen tot *De Wingerd*. "Die naam straalt meer gezelligheid uit"; vindt ze terecht. De grote 'loft' in de zijvleugel is geschikt voor twee volwassenen en beslaat de volledige zolderverdieping. Behalve een gezellig salon en een modern uitgeruste keuken is hier een grote slaapkamer en een comfortabele badkamer.

De Wingerd, Dikkelsebaan 3, 9630 Zwalm (Dikkele)
+32 (0)55 49 91 24, info@dewingerd-logement.be, www.dewingerd-logement.be
vanaf 120 euro voor twee nachten voor twee personen.

Wie de hoofdwoning huurt, kan beschikken over vijf tweepersoonskamers met badkamer. Op de gelijkvloerse verdieping geniet je van een aangenaam salon met open haard, tv en hifi, een eetkamer met zithoek en een grote ingerichte keuken. Overal in het huis zorgen subtiele verlichtingspunten en veel groen voor warmte. Greta koos voor een geslaagde combinatie van eenvoudige oude en nieuwe meubelen.

In de grote tuin is een oude schuur smaakvol heringericht als sauna. Ook hier zorgt de inrichting voor rust en sereniteit. Vanaf het terras geniet je na een deugddoende sauna van het uitzicht op de glooiende velden. Van hieruit lijkt de bewoonde wereld ver weg. *De Wingerd* is een ideaal adres voor wie met vrienden of familie een paar dagen tot rust wil komen, zonder daarbij aan comfort in te boeten.

Maarkedal - Ronse praktisch

ALTERNATIEVEN

Wie in De Wingerd in Zwalm-Dikkele verblijft, rijdt telkens over Oudenaarde richting Ronse. Aan de lichten voorbij de 2x2-weg sla je links de Ommegangstraat in richting Schorisse tot de Hostellerie Shamrock (24 km).

BEOORDELING

De wandelingen verlopen in een golvend landschap met vaak nijdige klimmetjes. Je wandelt vaak over aardewegen en bospaden, maar ook de asfaltwegen zijn aangenaam om wandelen aangezien ze vooral door plaatselijk verkeer en wielertoeristen gebruikt worden. Je kunt de wandelingen in elk seizoen doen. In de herfst heb je het mooiste kleurenpalet in de bossen. Na regenweer kunnen paden er soms modderig bij liggen.

HOE KOM JE ER?

MET DE TREIN Voor deze bestemming is de auto aangewezen. Ronse, op 7 km van Louise-Marie, is het eindstation van de lijn uit Gent. In Oudenaarde sluit die aan op de lijn Brussel-Kortrijk.

MET DE AUTO Louise-Marie bereik je door bij afrit 8-De Pinte de E17 te verlaten voor de N60 over Oudenaarde richting Ronse. Aan de lichten voorbij de 2x2-weg sla je links de Ommegangstraat in richting Schorisse tot de Hostellerie Shamrock. Je kunt ook van Brussel of Aalst over Ninove en Brakel richting Ronse. 7 km voorbij Brakel sla je rechts af richting Schorisse en nog eens 2 km verderop links naar Ronse en Louise-Marie. Hostellerie Shamrock ligt dan 1 km voorbij de kerk.

KAARTEN

NGI topografische kaart 1/25.000, nr. 29/7-8 (Kluisbergen – Mont-de-l'Enclus), 30/5-6 (Flobecq (Vloesberg) - Brakel), heel even 29/3-4 (Waregem - Oudenaarde).

INFORMATIE

- Toerisme Oost-Vlaanderen: Het Metselaarshuis, Sint-Niklaasstraat 2, 9000 Gent, 09 269 26 36, 09 269 26 09, www.tov.be, toerisme@oost-vlaanderen.be.
- Provinciaal infokantoor 'De Zwalm': Rekegemstraat 28, 9630 Zwalm, 055 49 92 24, 055 49 83 14, www.toerismevlaamseardennen.be, toerisme.vlaamseardennen@oost-vlaanderen.be of toerisme.zwalm@oost-vlaanderen.be.
- Dienst Toerisme Ronse: Hoge Mote, De Biesestraat 2, 9600 Ronse, 055 23 28 16 of 055 23 28 17, 055 23 28 19, www.ronse.be, toerisme@ronse.be.
- Maison du parc naturel du Pays des Collines: Ruelle des Ecoles 1, 7890 Ellezelles, 0032 68 54 46 00, 0032 68 54 46 05, www.pays-des-collines.be en www.ellezelles.be, npc@skynet.be.

MUZIEKBOS

Het Domeinbos Muziekbos ligt volledig op het grondgebied van Ronse. Het is een relictbos op een getuigenheuvel uit het tertiair. Na het terugtrekken van de zee bleven harde zandsteenbanken in het landschap over. Wegens de onvruchtbare ondergrond werden deze bulten nooit in cultuur gebracht. Enkel bos gedijt er. Het bos bestaat uit hooghout, met overwegend beuk. Slechts enkele percelen zijn met naaldhout beplant. In het voorjaar bloeien er wilde hyacinten, in de volksmond 'blauwe kousen' genoemd. Over de naamgeving van het bos bestaat grote onenigheid. Was het onder de Romeinen een Muzenberg? Verbleef Heer Danielken, een middeleeuwse minnestreel hier? Of maakt de wind tussen de hoge beukenbomen een geluid als muziek of misschien ligt de oorsprong bij het Keltische woord voor moeras. Deze raadsels hadden grote aantrekkingskracht op befaamde letterkundigen en kunstenaars. Valerius de Sadeleer vereeuwigde dit landschap op zijn doeken en Herman Teirlinck koos de berg als omgeving voor tal van zijn romans.

Maarke beek
N60
Nukerke
Zulzeke
KLUISBERGEN
Hostellerie Sh
N425
Louis
N60
N454
RONSE
N57

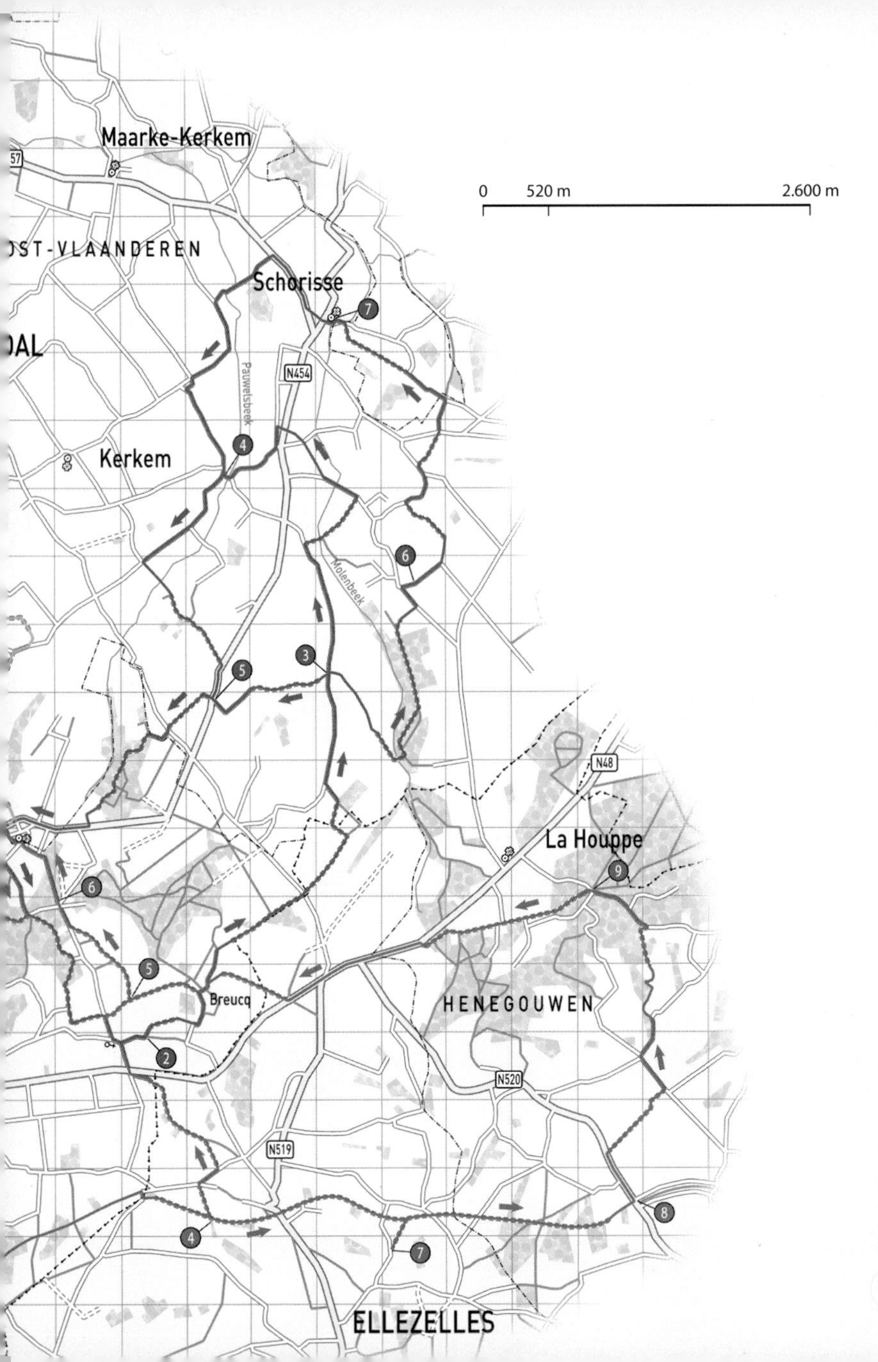

Maarke-Kerkem
OST-VLAANDEREN
Schorisse
DAL
N454
Pauwelsbeek
Kerkem
Molenbeek
N48
La Houppe
Breucq
HENEGOUWEN
N520
N519
ELLEZELLES
0
520 m
2.600 m

1. Bois d'Houppe

DOORHEEN HET PAYS DES COLLINES

Vandaag verken je het gebied aan weerszijden van de taalgrens. Voorbij het Muziekbos stap je langs de rand van Ronse naar een verlaten spoorlijn. Het mooie tracé brengt je naar Ellezelles, het centrum van het *Parc naturel du Pays des Collines*. Prachtige uitzichten op het heuvelende landschap leiden langs de *Brasserie L'Ellezelloise* naar het Bois d'Houppe en de Pottelberg, de hoogste top van de streek. Door het charmante Breucq keer je terug, na nogmaals de Muziekberg te hebben beklommen.

AFSTAND 13,6 km, uitbreiding 22,1 km (rood).
VERTREK Hostellerie Shamrock
AARD VAN DE WEG Aarde- en grindwegen en verkeersarme asfaltwegen.
TOEGANKELIJKHEID Mogelijk voor buggy's behalve na regenval.
ALTERNATIEVEN Je kunt de wandeling ook starten aan de kerk van Louise-Marie.
ETEN & DRINKEN

- Brasserie Ellezelloise **[7]**: Rue Guinaumont 75, 7890 Ellezelles, ✆ 068 54 25 30, open ma.-za. 8.00-19.00 u, zo. 9.00-12.00 u en 15.00-19.00 u.
- Meerdere mogelijkheden in La Houppe **[9]**.
- Restaurant-taverne-grill Chalet Boekzitting **[6]**: Boekzitting 26, 9600 Ronse, ✆ 055 21 48 73, www.horeca.be, b.oekzitting@belgacom.net, geopend van af 11.00 u, ma.-di gesloten, evenals 3de week juni, 1-15/sept. en dec., juli-aug. dag. geopend.

BOMENINFO

De spoorlijn die voorheen Ronse met Lessen verbond, is een waar arboretum. Op het grondgebied van Ellezelles staan leuke infoborden. Zo weet je dat de hazelaar 6 à 8 m hoog wordt en dat de struiken bij de Kelten een symbool voor wijsheid waren. In Bretagne was het zelfs een vruchtbaarheidssymbool. Trouwde een man in een jaar dat er veel hazelnoten waren, dan zou zijn huwelijk met veel kinderen gezegend worden. De vlier (sureau noire) zou in Denemarken de woningen beschermen en in Rusland verdrijft hij kwade geesten.

DE WANDELTOCHT

1 – 2

Aan **Hostellerie Shamrock [1]** volg je de grote weg naar links en aan de viersprong sla je rechts de Rijkswachtdreef in. Boven op het Muziekbos buigt de weg haaks links af en ga je rechts een bosweg in. Tussen afrasteringen wandel je over de 148 m hoge maar vlakke top. In volle afdaling buigt de bosweg naar links. Je blijft echter rechtdoor op het talud het smalle aardepad langs de omheining volgen en weldra wandel je langs de bosrand. Waar een bosweg scherp links bijkomt (privaat) ga je rechts een dalend aardepad af. Je steekt voorzichtig de onbewaakte overweg over. Verder volgt een smalle passage langs een beek, die je weldra oversteekt naar een grindweg. Voorbij het eerste huis ga je links, de grindweg versmalt tot een aardepad en op de rijweg ga je links. Op het driehoekige plein buig je schuin links af naar de doodlopende Drieborrebeekstraat. Op het einde wacht een asfaltpad en aan de vensterfabriek een asfaltweg. Aan de **spooroverweg [2]** steek je de spoorweg over en voorbij huisnummer 297 neem je het pad haaks rechts.

2 – 3

Tussen moestuinen bereik je een kruispunt waar je schuin links de Maagdenstraat volgt. Op het einde van de bebouwde kom ruil je die voor Germinal langsheen de gelijknamige tuinwijk. Ter hoogte van de tweede afslag rechts ga je links een aardepad op. Nauwelijks 75 m verder vervolg je aan een viersprong van paden naar rechts. Je steekt de **Rotterij [3]** schuin links over en je gaat meteen links een asfaltpad op een voormalige spoorlijn op.

3 – 4

Je volgt het tracé voor 3,2 km. Onderweg heb je mooie uitzichten op het Muziekbos en je passeert een gevoelig plekje van Natuurpunt bij het dwarsen van de Vloedbeek. Op het einde brengen lange trappen je op een asfaltweg. Je steekt rechts de taalgrens en de spoorbrug over en slaat onmiddellijk links een doodlopende asfaltweg in. Op het einde van de hangar zoek je links tussen de struiken een pad dat je opnieuw op het spoortracé brengt. Op het einde van de sleuf kondigen oranje **Fluxyspaaltjes [4]** de uitbreiding aan.

4 – 5

Hier volg je scherp links een graspad. Boven aan de asfaltweg ga je even links tot de T-sprong waar je rechts verder stapt. Juist voor de hoeve sla je links een grindweg in. Het uitzicht reikt tot het Muziekbos, de Hotondberg, de Kluisberg en de toren van de Hermeskerk in Ronse. Je daalt af en aan de expresweg volg je die even links om na 150 m over te steken naar de Kanarieberg. Je negeert de afslag naar 't Rudderhof en de Lorettekapel, maar na 500 m sla je wel rechts een asfaltweg in. Aan de **splitsing voorbij de hoeve [5]** volg je schuin links de stenige aardeweg bergop.

5 1 Op de asfaltweg op het einde gaat het rechts verder naar café **Boekzitting [6]** boven op het Muziekbos. Je houdt er rechtdoor aan en het bospad langs een omheining leidt je snel bergaf. Aan de T-sprong voorbij het bos buig je schuin links af en aan de asfaltweg steven je af op de kerk van Louise-Marie. Voor het kerkhofmuurtje kies je links en na 70 m neem je rechts de asfaltstraat bergaf. Op het einde ga je links terug naar **Hostellerie Shamrock [1]**.

UITBREIDING

4 8 Aan de **Fluxyspaaltjes [4]** blijf je het spoortracé volgen. Op het nog 3,5 km lange traject krijg je doorkijkjes naar het Pays des Collines en borden informeren je over de aanwezige bomen. Je passeert het station van Ellezelles en voorbij het infobord van de 'Aubépine' leidt een pad scherp rechts naar witte gebouwen. Het is de huisbrouwerij **l'Ellezelloise [7]** (2 x 350 m extra). Op het laatste deel van het spoortracé krijg je links zicht op de militaire radars op de top van de Pottelberg.

8 9 Aan **La Planche [8]** ga je de rijweg links op, je steekt de Ruisseau d'Ancre, een zijbeek van de Dender, over en aan huisnummer 1 kies je schuin rechts voor de aardeweg. Die eindigt bij de Ferme du Géron en je volgt de asfaltweg naar links. Aan de viersprong verlaat je die voor de smalle asfaltweg rechts. Als de Neuve Rue rechts afbuigt stap je rechtdoor een doodlopende weg in en begin je aan de lange klim naar La Houppe. Voorbij een kapel kom je op een bosweg terecht. Op het einde van een weide buig je rechts af en op de grote weg kies je links tot de **horecazaken op La Houppe [9]**.

9 5 Hier ga je schuin links de enige stijgende weg in. Die klimt voorbij het laatste huis naar de hoogste top van de Vlaamse Ardennen, de 157 m hoge Pottelberg. De top is volledig vlak. Je houdt er steeds rechtdoor aan. Voorbij de open plek buigt de grindweg rechts langs een muur en daalt het plateau af. Je volgt de expresweg naar links op het fietspad. Zo kun je rustig genieten van de uitzichten naar het Pays des Collines en de Vlaamse Ardennen. Je negeert de wegen naar Flobecq, Ellezelles en Schorisse. Aan kilometerpaal 7,5 steek je de expresweg over naar de grindweg schuin rechts. In het gehucht Breucq sla je de Wilgenstraat links in. In de bocht bij huisnummer 41 kies je rechts de dalende grindweg die onmiddellijk in gras overgaat. Door open veld bereik je uiteindelijk een **aardeweg bij een hoeve [5]**. Hier eindigt de uitbreiding en sla je rechts de stenige aardeweg in.

2. Schorisse

HET LAND VAN OMER WATTEZ

Gisteren kreeg je maar niet genoeg van Breucq en daarom start je weer over het Muziekbos naar dit mooie gehucht van Ronse. Nu daal je echter af naar de Molenbeek en Schorisse. In het dorp van Omer Wattez wisselen de weidse uitzichten snel. Onderweg trek je door het bos Terrijst en passeer je een ezelboerderij. Door de vallei van de Maarkebeek keer je naar Louise-Marie terug. Genieten geblazen dus in het oostelijk deel van de Vlaamse Ardennen.

AFSTAND 15,3 km, verkorting 10,9 km, uitbreiding 20,7 km (paars).
VERTREK Hostellerie Schamrock
AARD VAN DE WEG Aardewegen en verkeersarme asfaltwegen.
TOEGANKELIJKHEID Mogelijk voor buggy's behalve na regenval.
ALTERNATIEVEN Je kunt de wandeling ook starten aan de kerk van Louise-Marie.
ETEN & DRINKEN

- Tearoom-Brasserie 't Ruddershof (bij **[2]**): Rudderveld 5, 9600 Ronse, ☎ 055 49 90 63, 📠 055 49 90 63.
- Landelijke herberg - ezelboerdeij Git(e)ane **[6]**: A. Odevaertstraat 5, 9688 Schorisse, ☎ 055 45 67 53, 📠 055 45 70 32, 💻 www.giteane.be, ✉ info@git-e-ane.be, open za.-zo. 14.00-19.00 u.
- Café 't Kromhof tussen **[3]** en **[4]**.
- Fietsstop 't Hof Wijmenier (voorbij **[7]**): zo. 11.00-21.00 u, april-okt. ook za.
- Rock & swingcafé Molotov Coctail (laatste kilometer): Schorissesteenweg 9, 9600 Louise-Marie, ☎ 0495 30 10 61, 📠 055 60 00 25, 💻 www.molotov-cocktail.be, ✉ molotov@pandora.be, ma.-do. 11.00-13.00 u en vanaf 16.00 u, vr. vanaf 11.00 u, za.-zo. vanaf 16.00 u.

DE WANDELTOCHT

1 2

Aan **Hostellerie Shamrock [1]** volg je de grote weg naar links en aan de viersprong sla je rechts de Rijkswachtdreef in. Op de top van het Muziekbos wandel je rechtdoor langs het infobord naar een dalende grindweg. Je gaat rechts rond een vijver en 50 m verder, nog voor de vuilnisbak, ga je haaks rechts een onduidelijk dalend pad tussen de bomen in. Je steekt een beekje over en je volgt het stroomafwaarts. Aan het asfalt kies je het pad rechtdoor en bij de beek vervolg je links tussen de weiden. Aan de weg ga je rechts de asfaltweg af. Voorbij de Lorettekapel sla je af naar 't Ruddersveld.

2 3

Aan de **jeugdherberg [2]** buig je links mee en voorbij 't Ruddersveld begin je te klimmen over een grindweg. In Breucq kom je op asfalt, aan de afslag ga je rechtdoor en de weg buigt haaks naar links. Nog geen 100 m verder kies je schuin links bergaf. Je volgt even het traject van de uitbreiding van gisteren in omgekeerde richting. Aan de splitsing van de Wilgenstraat houd je links aan. 250 m verder ga je rechts de Bosweg op. Het asfalt houdt op en over een breed aardepad wandel je nu op de taalgrens. 350 m verder moet je even rechts om onmiddellijk weer links de bosrand te volgen. Je steekt de Koekamerstraat over naar een stenige aardeweg. De eerste afslag naar links, na 550 m, is de jouwe. Voorbij een holle weg beland je op asfalt en op het einde van de Dostestraat neem je de asfaltweg naar rechts. Een mooi panorama ontplooit zich op weg naar het **kruispunt bij de Doomkapel [3]** waar de verkorting en de uitbreiding beginnen.

3 4

Het hoofdtraject gaat rechtdoor en bij het begin van de bebouwde kom van Schorisse neem je rechts de stenige aardeweg. Voorbij een beek ga je schuin links over de aardeweg langs de knotwilgen bergop. Op de grote weg volg je die naar links. Beton maakt plaats voor kasseien en voorbij huisnummer 3 ruil je die voor het tegelpad schuin rechts. Je dwarst een asfaltweg. Het asfaltpad steekt bij de superette een bredere weg over. Op het einde volg je de betonweg naar links tot een kruispunt waar je rechts de Leideveld inwandelt. Aan de driesprong ga je rechts over de Pauwelsbeek tot de **afslag naar de Markettestraat [4]**.

4 5

Je gaat er links de Markettestraat in. De asfaltweg leidt je door een open landschap langs enkele kapellen. Aan het kruispunt bij huisnummer 14 kies je links. Voorbij de Pauwelsbeek wandel je bij een kapel rechtdoor de stijgende aardeweg op. Aan een viersprong houd je rechtdoor aan door een holle weg om uiteindelijk een grote weg te bereiken. Je volgt die voorzichtig naar rechts en aan een **kapel [5]** sla je rechts de Goudberg in.

5 1 Waar het asfalt ophoudt ga je links verder over een aardeweg naar het voetbalveld. Je neemt er even de asfaltweg naar links om onmiddellijk rechts de Holleweg te volgen. De dalende weg gaat over in grind en voor een tennisveld sla je links een bosweg in. Na 100 m neem je de eerste afslag naar rechts. Het dalende pad buigt 120 m verderop haaks links en verbreedt. Nu volgen er twee splitsingen waar je telkens schuin rechts aanhoudt. Telkenmale steek je daarna onmiddellijk via enkele planken een beekje over. Voorbij het tweede beekje klim je naar een verharde weg die je volgt tot aan een grotere weg. Je gaat rechts en steeds rechtdoor aanhoudend bereik je uiteindelijk **Hostellerie Shamrock [1]**.

VERKORTING

3 5 Aan de **Doomkapel [3]** stappen de verkorters links de Kouterstraat in. Asfalt wordt grind, je steekt een beekje over en boven op de helling buig je links de asfaltweg op. Na een haakse rechtse bocht eindigt de Gielestraat op een gevaarlijke weg. Je gaat er voorzichtig naar rechts tot aan een **kapel [5]** waar de verkorting eindigt. Je gaat er links de Goudberg op.

UITBREIDING

3 6 Aan de **Doomkapel [3]** volgt de uitbreiding rechts de Doom. Op het einde ga je verder over kasseien en grind. Beneden steek je links de Molenbeek over naar Domein Terrijst. Na 100 m klimmen ga je aan het infobord links de horizontale grindweg op. Je houdt rechtdoor aan en voorbij het bos draait de weg rechts bergop. Op de T-sprong volg je de betonweg naar links en 200 m verder verlaat je die voor de Otevaertstraat.

6 7 Voorbij **ezelboerderij Git(e)ane [6]** buigt de straat rechts af en volg je het asfaltspoor naar huisnummer 13. Daar gaat het verder over een dalende grasweg. Op de T-sprong vervolg je de asfaltweg naar rechts en voorbij de Steenbeek doe je dat naar links. 80 m verder sla je haaks rechts een graspad tussen omheiningen in. Een steile klim brengt je op een viersprong en je wandelt rechtdoor de Omer Wattezstraat in. Aan de volgende viersprong kies je links naar Foreest. In de bocht naar rechts volg je de aardeweg rechtdoor in de richting van een kerk. Voorbij de Molenbeek ga je links en enkele haakse bochten verder sta je aan de **kerk van Schorisse [7]**.

7 4 Je steekt de hoofdstraat over naar een braakliggend terrein waar een asfaltpad begint. Aan de grote weg volg je die naar rechts en 500 m verder sla je links de Broekestraat in over de Pauwelsbeek. Op het einde ga je links naar fietsknooppunt 38. 500 m voorbij 't Hof Wijmenier stap je twee maal links naar de geasfalteerde Gorisveld. Op het einde volg je links de Leideveld en de uitbreiding eindigt aan de **Markettestraat [4]**. Je slaat de straat rechts in.

3. Etikhove

OVER DE HELLINGEN VAN DE RONDE VAN VLAANDEREN

Niet te verwonderen dat de Ronde hier doortrekt. Nog meer dan de vorige wandelingen staan steile bergjes en nog prachtiger uitzichten op het programma. Je daalt van Louise-Marie af richting Etikhove. Onderweg krijg je de Taaienberg voorgeschoteld. Op de uitbreiding ontmoet je het lieflijke dal van de Nederaalbeek en de obligate Koppenberg. Het gewone traject gaat tussen de velden rechtstreeks naar Nukerke. Een steil bos brengt je naar Zulzeke. Vanaf hier is het klimmen geblazen tot het einde.

AFSTAND 19,5 km, verkorting 11,0 km, uitbreiding 25,8 km (oranje).
VERTREK Hostellerie Shamrock
AARD VAN DE WEG Aardewegen en verkeersarme asfaltwegen.
TOEGANKELIJKHEID Mogelijk voor buggy's behalve na regenval.
ALTERNATIEVEN Je kunt de wandeling ook starten aan de kerk van Louise-Marie.
ETEN & DRINKEN

- Café Arendshof (bij **[7]**): Etikhoveplein 1, 9680 Etikhove.
- Taverne-restaurant-tearoom Den Eglantier (bij **[4]**): Nukerkestraat 15, 9681 Nukerke, 055 21 41 28, 055 21 86 20, www.den-eglantier.be, den.eglantier@skynet.be, open vanaf 12.00 u, di.-wo. gesloten behalve feestdagen.
- 't Oud Gemeentehuis (aan de kerk van Zulzeke **[5]**).
- café Den Os (tussen **[8]** en **[4]**).

SPICHTENBERGTUNNEL

De spoorlijn vanuit Gent moet de hoofdkam van de Vlaamse Ardennen trotseren om Ronse te bereiken. Dat gebeurt door een 450 m lange tunnel onder de Spichtenberg. Spoorlijn en tunnel waren in 1863 af. Het is een van de zeldzame tunnels in Vlaanderen. Zo kwam er een verbinding tot stand tussen de textielstad Ronse en die andere textielreus, Gent.

DE WANDELTOCHT

1 2 Aan **Hostellerie Shamrock [1]** volg je de grote weg naar links en aan de viersprong vervolg je rechtdoor. Tegenover het bushokje op het kerkplein neem je links het asfaltpad. Asfalt maakt plaats voor kasseien, grind en later aarde. Voorbij de eerste hoeve krijg je weer kasseien en je negeert een afslag. Aan de tweede hoeve wordt het weer een aardeweg en aan de derde een pad. Dat mondt uit op een betonweg die je rechts volgt. 150 m verder kies je de smalle asfaltweg links die aan een huis overgaat in gras en later een aardepad wordt. Op het einde van de inmiddels weer asfaltweg ga je rechts om dan links de Kleistraat te nemen. Beneden de helling draai je rechts een doodlopende betonweg in. Na een lange bocht verlaat je die voor de aardeweg rechts. Boven ga je links en dat doe je opnieuw voorbij de bocht. De Taaienberg leidt je weldra tot een **afslag [2]** halverwege de helling. Hier gaat de uitbreiding naar rechts.

2 4 De anderen dalen verder de Taaienberg af, nu op beton en aan de T-sprong vervolgen ze naar rechts. Voorbij een fabriek en de Nederaalbeek steven je af op het kruispunt met de **Donderij [3]**. De verkorters moeten er links, de hoofdroute gaat rechts de betonweg op. Aan de kapel ga je links de Mussestraat in en voorbij de overweg sla je links een betonweg in. De klimmende weg buigt boven rechts

RONDE VAN VLAANDEREN

Op het grondgebied van Maarkedal en Kluisbergen ligt het gros van de hellingen uit de wielerklassieker De Ronde van Vlaanderen. De bekendste is wellicht de Koppenberg, met een steil gedeelte van 27 % en veruit de verraderlijkste op het parcours. Op zijn flanken wordt nu jaarlijks ook een prestigieuze veldrit gereden. Maar ook de Taaienberg, Berg ten Houte en Kortekeer mogen er zijn. En dan zwijgen we nog over de Eikenberg, Varentberg, Patersberg en andere Kwaremonts. Je mag je dan ook aan vele wielertoeristen verwachten.

Ruitegem in. Je steekt de Pontstraat over en je kiest rechts de later dalende Toveressenstraat. Juist voor een asfaltweg kies je het aardepad links. De latere dallen leiden naar de **kerk van Nukerke [4]**.

4 – 5 Je rondt de kerk en je stapt rechtdoor de Nukerkestraat in. Voorbij de expresweg volg je het Heidje en op het einde rechts De Spijker. De kasseiweg buigt af naar een aardeweg die aan de bosrand een holle weg induikt. Ter hoogte van het einde van de wei aan je linkerkant, kies je een aardepad links bergop. In een wijde boog nader je de volgende weidehoek, het pad buigt naar rechts en daalt steil. Beneden volg je de aardeweg rechts. Aan het kruispunt steek je over naar het tegelpad naar de **kerk van Zulzeke [5]**.

5 – 6 Hier sla je de hoofdstraat links in en voorbij huisnummer 55 volg je links een kassei-aardeweg. Op het einde vervolg je naar rechts en voorbij de Kuitholbeek kies je aan Ten Broecke de aardeweg links. Weldra versmalt die tot een pad tussen de velden en mondt uit op de Panoramawandelroute. Je volgt die naar rechts, begint te klimmen en de weg wordt asfalt. In de haakse linkse bocht ga je rechts het Pironpad op. Op het einde, aan de Sluipestraat, neem je de asfaltweg links. Voorbij de brug over de Kuitholbeek sla je links de steile gelijknamige straat in. Je volgt de expresweg naar links tot kilometerpaal 32,2 waar je rechts een betonweg inslaat. Je negeert vijf afslagen op weg naar de **Keistraat [6]**, die je scherp rechts indraait.

6 – 1 Op het einde sla je links af en je volgt 100 m het fietspad om rechts een aardeweg te nemen. Op het einde ga je links verder. Voorbij een beek klim je de Spichtenberg op. Op het einde sla je scherp links af. De korte grindpassage markeert de onderliggende spoortunnel. Waar de Keizerrei dreigt dood te lopen, kies je de asfaltweg rechts. Op het einde moet je links en dan steeds rechtdoor tot **Hostellerie Shamrock [1]**.

VERKORTING

3 – 6

De verkorting gaat aan de **Donderij [3]** linksaf. 100 m verder kies je de Mellinkstraat en voorbij de overweg sla je links Terpoort in. Je negeert de afslag onder de spoorweg en op het einde van de kaarsrechte klimmende betonweg vervolg je rechts. Aan de volgende T-sprong ga je links bergop verder. Aan de gemeenteschool houd je rechtdoor aan tot je links de **Keistraat [6]** in kunt.

UITBREIDING

2 – 7

Aan de **afslag [2]** sla je rechts de Fortstraat op, aan huisnummer 6 kies je het dalende tegelpad links en voorbij de Nederaalbeek bereik je een grote weg die je rechts opgaat. Je volgt deze 850 m tot een viersprong je rechts de Onderbossenaarstraat inleidt. Voorbij de beek neem je links de grasstrook op de oever. Bij de kleine woonwijk steek je de houten brug over en een asfaltpad leidt naar de **kerk van Etikhove [7]**.

7 – 8

Je volgt links de Poststraat en je steekt de Berkenstraat over naar een kasseiweg. Voorbij een viersprong wordt het maar een pad. Aan de rijweg vervolg je naar rechts en aan de T-sprong kies je links over de sporen, en ga je de eerste betonweg rechts op. Op het einde ga je de grote weg links op. Aan de expresweg steek je voorzichtig over en je volgt die 100 m naar links tot je de Koppenberg op kunt. Je volgt getrouw de slingerende asfaltweg naar boven. Bij de vijfsprong houd je schuin rechts aan. 800 m verder op de vlakke **Koppenbergrug [8]** sla je tegenover een woning links een aardepad in.

8 – 4

Het daalt weldra en op een asfaltweg sla je opnieuw links af. Op het einde zoek je het aardepad rechtdoor. In de knik van een grindweg daal je rechts verder af. Je steekt een asfaltweg over, voor de hoeve houd je links een aardeweg aan die een beek trotseert en dan steil klimt naar café Den Os aan de expresweg. Je gaat de parallelweg naar rechts op tot je de grote weg kunt oversteken naar een asfaltweg richting **kerk van Nukerke [4]**. Hier eindigt de uitbreiding en je slaat rechts de Nukerkestraat in.

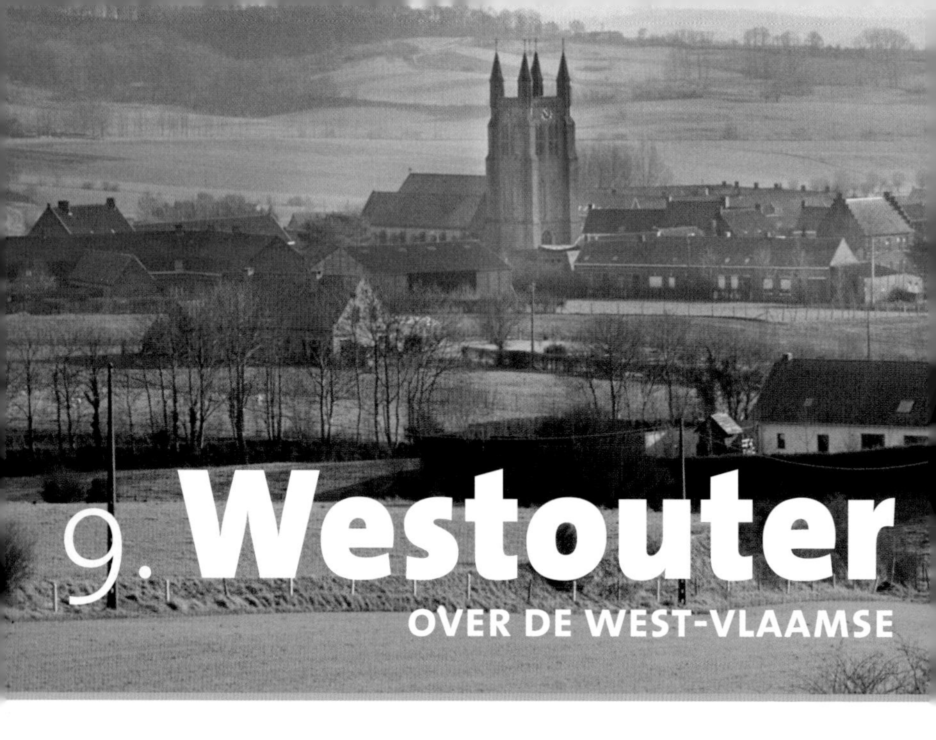

9. Westouter

OVER DE WEST-VLAAMSE

Over de bergen van Marietje Butterbille naar Marguerite Yourcenar.

De West-Vlaamse Bergen ten zuiden van Ieper en Poperinge lopen in Frankrijk door onder de benaming Monts de Flandre of Vlaamse Bergen. Van de Kemmelberg in het oosten tot de Katsberg in het westen, ga je in drie dagen op zoek naar de mooiste uitzichten in dit golvende landschap. De torens van Ieper, Poperinge en Bailleul (Belle) aan de voet van de bergen, zijn daarbij je bakens. Je verkent daarbij beide zijden van de 'Fransche schreve'. Met 'Vloams' kom je aan de overzijde van de grens nog een stuk ver.

EN DE VLAAMSE BERGEN

Onze logiestips: In **Hotel Reverie** hangt onmiskenbaar romantiek in de lucht. Het weidse uitzicht vanaf de Rodeberg doet iedereen dagdromen. Hedwig en Tine bouwden het hotel precies zoals ze het wilden: kleinschalig, klantvriendelijk en ecologisch verantwoord. **Talbot House** werd genoemd naar Gilbert Talbot, een gevallen soldaat die het symbool werd voor de opoffering van een hele generatie jongemannen. Nu is Talbot House een uniek museum en een zeer betaalbaar logeeradres geworden.

Onze wandeltips: Een tochtje langs de West-Vlaamse bergen en daarna doorstappen naar de Monts de Flandre in Frankrijk, dat is wat je hier te wachten staat. Smeer je kuiten alvast in voor de Scherpenberg, de Kemmelberg en de Rodeberg. Voor de tweede tocht ga je via Marietje Butterbille naar Marguerite Yourcenar. Bij de derde wandeling zit je al ver over de 'Fransche Schreve' als je het haalt tot aan de Katsberg. De Casselberg ligt er ook mooi te wezen, maar gelukkig hoef je die er niet meer bij te doen.

Uitzicht op de 'bergen'

HOTEL REVERIE

Het weidse uitzicht vanaf de Rodeberg is adembenemend en dus ideaal voor een romantisch hotelletje. Het lijkt alsof *Hotel Reverie* er al eeuwen staat, toch werd het pas tien jaar geleden gebouwd.

Hedwig Peferoen en Tine Coene hadden vroeger een drukke horecazaak. Twintig jaar geleden al kochten ze een perceel op de Rodeberg om daar iets nieuws te beginnen. "Een rustig hotelletje leek ons een mooie afsluiter", vertelt Tine. "*Hotel Reverie* bestaat nu tien jaar, maar rustig is het nog steeds niet geworden."

In de negentiende eeuw stond hier al een herberg met de vreemde naam Sebastopol. Tijdens de Eerste Wereldoorlog werd die verwoest en daarna werd het een weeshuis. Het huidige pand is volledig nieuw gebouwd, maar omdat de eigenaars oude materialen recupereerden, lijkt het alsof ze de oude herberg gerenoveerd hebben. Hedwig en Tine hebben niet de gemakkelijkste weg gekozen, maar hun ecologisch bewustzijn en hun doorzettingsvermogen hebben de bovenhand gehaald.

Hedwig en Tine hebben hun tijd genomen om het hotel precies te bouwen zoals ze het wilden: kleinschalig, klantvriendelijk en ecologisch verantwoord. Voor de gevel gebruikten ze oude bakstenen, de houten vloeren op de gelijkvloerse verdieping zijn gerecupereerd van oude treinwagons en bij meubelopkopers en antiquairs gingen ze op zoek naar geschikt meubilair. Door het gebruik van die gerecycleerde materialen hebben ze een warme en gezellige sfeer gecreëerd.

Hotel Reverie, Rodeberg 26, 8954 Heuvelland (Westouter)
+32 (0)57 44 48 19, hotel@reverie.be, www.reverie.be
vanaf 98 euro per kamer, inclusief ontbijt.

De acht grote, comfortabele kamers liggen verspreid over twee verdiepingen en zijn uitgerust met tv, een minibar vol bier en een badkamer. De vloerbedekking is van kurkeik, die niet alleen warm aanvoelt, maar ook een prima geluidsdemper is. Alle kamers bieden een panoramisch uitzicht op de omgeving. Vlakbij ligt de dorpskern van Loker met de historische kerktoren en de holle weg die vroeger de verbinding met Bailleul in Frankrijk vormde. Het uitzicht over het glooiende landschap van de Kemmelberg reikt tot in Lille en zelfs op een mistige dag blijf je gefascineerd door het spel van de wolken in het dal. 's Morgens zorgt Tine voor een uitgebreid ontbijt en op verzoek wordt 's avonds ook een table d'hôtes aangeboden. Het hotel beschikt over een prima uitgeruste seminarieruimte, die vaak door bedrijven afgehuurd wordt.

De warme ontvangst en de gezellige, nostalgische sfeer van *Hotel Reverie* maken dit tot een uitstekend adres om een paar dagen weg te dromen.

Het huidige pand is volledig nieuw gebouwd, maar omdat de eigenaars oude materialen recupereerden, lijkt het alsof ze de oude herberg gerenoveerd hebben.

Oorlog en vrede

TALBOT HOUSE

De vele soldatenkerkhoven in de Westhoek herinneren aan de jarenlange loopgravenstrijd tijdens de Eerste Wereldoorlog. Poperinge lag toen achter het front en werd het bevoorradingscentrum voor de Britse troepen. In het toenmalige ontspanningscentrum heerst nog steeds de sfeer van de oorlogsjaren.

De ervaring is uniek omdat je op zo'n historische plek doordrongen raakt van de onzin van oorlog en geweld.

Talbot House dankt zijn bestaan aan de Britse aalmoezenier Philip Clayton, die in 1915 een every man's club oprichtte in een statige hophandelaarswoning. Het huis werd genoemd naar Gilbert Talbot, een jonge soldaat die sneuvelde en het symbool werd voor de opoffering van een hele generatie jongemannen. *Talbot House* was in die tijd opvallend omdat de club toegankelijk was voor alle militairen, zonder onderscheid van rang of afkomst. De bedoeling was de soldaten een moment van menselijkheid, rust en ontspanning te bieden midden in het oorlogsgeweld. Dat betekende niet meer dan even op adem komen en genieten van een kop thee in de tuin, een boek lezen, een brief schrijven of een 'echt' bad nemen alvorens weer naar de loopgraven gestuurd te worden. Duizenden kwamen nooit terug.

Na de oorlog werd het huis eigendom van de Britse Talbotbeweging die zich inzette voor soldaten overal ter wereld. Het werd zo goed mogelijk in zijn oorspronkelijke staat behouden en vooral bezocht door soldaten en hun familieleden die de vele kerkhoven in de omgeving kwamen bekijken. Op de eerste en tweede verdieping van het huis werden eenvoudige kamers ingericht.

Talbot House, Gasthuisstraat 43, 8970 Poperinge
+32 (0)57 33 32 28, info@talbothouse.be, www.talbothouse.be
naargelang de kamer: vanaf 23 euro per persoon, zonder ontbijt.

Enkele jaren geleden is *Talbot House* volledig gerestaureerd tot uniek museum en logeeradres. Het museum is ondergebracht in het huis en in de verbouwde hoppeschuur, die tijdens de oorlog dienstdeed als bioscoop. Foto's, filmmateriaal en voorwerpen bieden een kijk op de oorlogstijd. Brieven en dagboekfragmenten vertellen een aangrijpend verhaal. De zwarte vlekken op de oude stafkaart zijn een gevolg van de vingerafdrukken van soldaten die de plaatsen van gruwel aanduiden: Ieper, Passendale, Zillebeke... In het vroegere woonhuis lijkt het alsof de oorlog pas gisteren werd beëindigd, want alles dateert uit het begin van de vorige eeuw. Op de zolderverdieping is nog een anglicaanse kapel.

Op de eerste en tweede verdieping zijn zeer eenvoudige gastenkamers met wastafel ingericht. Elke etage heeft gemeenschappelijk sanitair. Dries Chaerle is de verantwoordelijke van *Talbot House* en getuigt van de unieke ervaringen die hij met de gasten heeft: "Het zijn zowel gezinnen, jongerengroepen als bejaarden uit de hele wereld. Een verblijf in dit huis laat bij iedereen een diepe indruk na."

De ervaring is uniek omdat je op zo'n historische plek doordrongen raakt van de onzin van oorlog en geweld.

Westouter praktisch

De wandelingen voeren je over de West-Vlaamse heuvelrij en over de 'Fransche Schreve'. In de eerste wandeling verken je een domeinbos, een natuurreservaat, de Scherpenberg, de Kemmelberg en de Rodeberg. Naast het museum van Marguerite Yourcenar in Sint-Jans-Cappel, staan de Rodeberg en de Zwarte Berg op het programma van de tweede dag. De derde wandeling leidt je diep Frankrijk binnen naar de Katsberg.

ALTERNATIEVEN

Wie in Talbot House in Poperinge verblijft, rijdt telkens naar Hotel Reverie (10 km) (wandeling 1 en 2) of het centrum van Westouter (6,5 km) (wandeling 3).

BEOORDELING

De wandelingen verlopen in een golvend landschap met vaak nijdige klimmetjes. Op de heuvels en door enkele kleine natuurgebieden wandel je over bos-, aarde- en graspaden. De asfaltstroken tussenin worden vooral door plaatselijk verkeer gebruikt, behalve op Frans grondgebied, waar enkele lokale verbindingswegen voorkomen. Je kunt de wandelingen in elk seizoen doen. In de herfst krijg je een prachtig kleurenpalet in de bossen. Na regenweer liggen de paden er vaak modderig bij.

HOE KOM JE ER?

MET DE TREIN Poperinge is een eindstation dat je bereikt via Kortrijk. Daar ben je aangewezen op het openbaar vervoer. De laatste honderden meters moet je wel te voet verder. Daarom is de wagen aan te raden voor deze bestemming.

MET DE AUTO Aan de wisselaar Aalbeke ruil je de E17 voor de A17-E403 richting Brugge. Juist voorbij de tunnel van Wevelgem ga je over op de A19 richting Ieper. Op het einde brengt de N38-expresweg je naar Poperinge. Je volgt er de ringweg richting Duinkerke (links) tot je links naar Westouter kunt. Voorbij de kerk draai je links mee richting Ieper. Op het einde, na 2 km, sla je rechtsaf en 100 m verder doe je dat opnieuw. Hotel Reverie ligt 1 km verder op de top van de Rodeberg.

KAARTEN

'NGI topografische kaart 1/25.000, nr. 28/5-6 (Heuvelland – Mesen (Messines)).
IGN série bleue 1/25.000, nr. 2403O (Steenvoorde).

INFORMATIE

- VVV Heuvelland / Bezoekerscentrum 'De Bergen': Reningelststraat 11, 8950 Kemmel, ☏ 057 45 04 55, www.heuvelland.be, vvvheuvelland@skynet.be.
- Office de Tourisme des Monts de Flandre: 3 Grand'Place, BP 95, 59270 Bailleul, ☏ 0033 3 28 43 81 00, fax 0033 3 28 43 81 01, www.montsdeflandre.fr, tourisme@montsdeflandre.fr.
- Musée Marguerite Yourcenar: 35 rue Marguerite Yourcenar, 59270 Sint-Jans-Cappel, ☏ 0033 3 28 42 20 20, www.chez.com/museeyourcenar, museeyourcenar@chez.com.

HEUVELRIJ

Ondanks de grens vormt het West-Vlaamse Heuvelland een geheel met de kompanen van de Monts de Flandre. De 'bergen' ontstonden 7 miljoen jaar geleden, toen de zee, die tot aan de noordzijde kwam, zich terugtrok. In de ondergrond zat veel ijzerhoudend gesteente. De riviertjes, die zich een weg zochten door de achtergebleven zandbanken, legden die lagen bloot. Door de aanraking met de zuurstof in de lucht vormden die ijzerroest en dat doet zandkorrels aan elkaar klitten tot een zeer hard gesteente. Hierop had de erosie weinig vat, zodat er bulten tot 175 m boven de huidige zeespiegel ontstonden. Het materiaal was zo hard en duurzaam dat het als bouwmateriaal voor heel wat kerken uit de streek ging dienen. Is de Kasselberg de hoogste en de westelijke afsluiter van de heuvelrug, de grootste concentratie van bergen ligt in ons land en juist over de grens. Tussen de Mont des Cats (Katsberg) en de Kemmelberg, in vogelvlucht nauwelijks 10 km van elkaar, liggen nog acht toppen in hoogte variërend van 125 tot 155 m: Mont de Boëschèpe, Mont Kokereel, Mont Noire (Zwarteberg), Vidaigneberg, Baneberg, Rodeberg, Scherpenberg en Monteberg. De Goeberg, Sulferberg en Lettenberg halen geen 100 m.

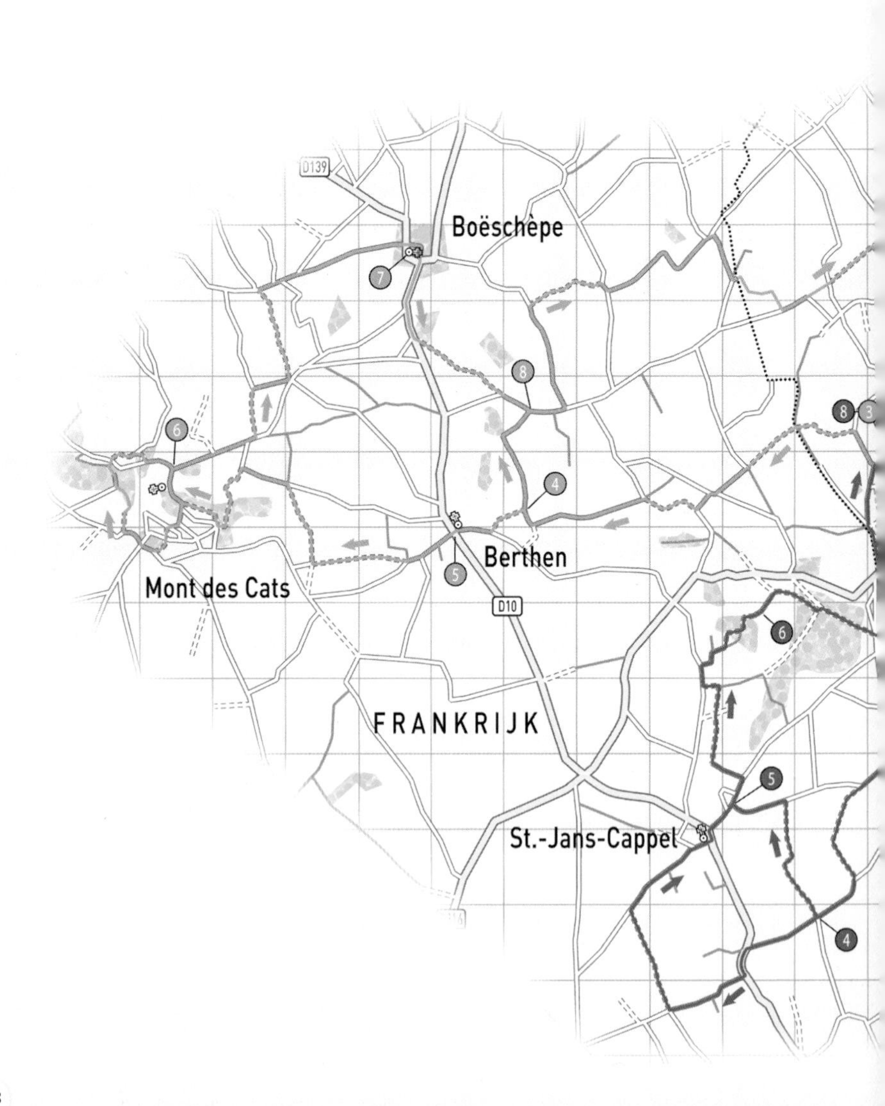

D139
Boëschèpe
7
8
6
4
Mont des Cats
5
Berthen
D10
FRANKRIJK
8
3
6
5
St.-Jans-Cappel
4

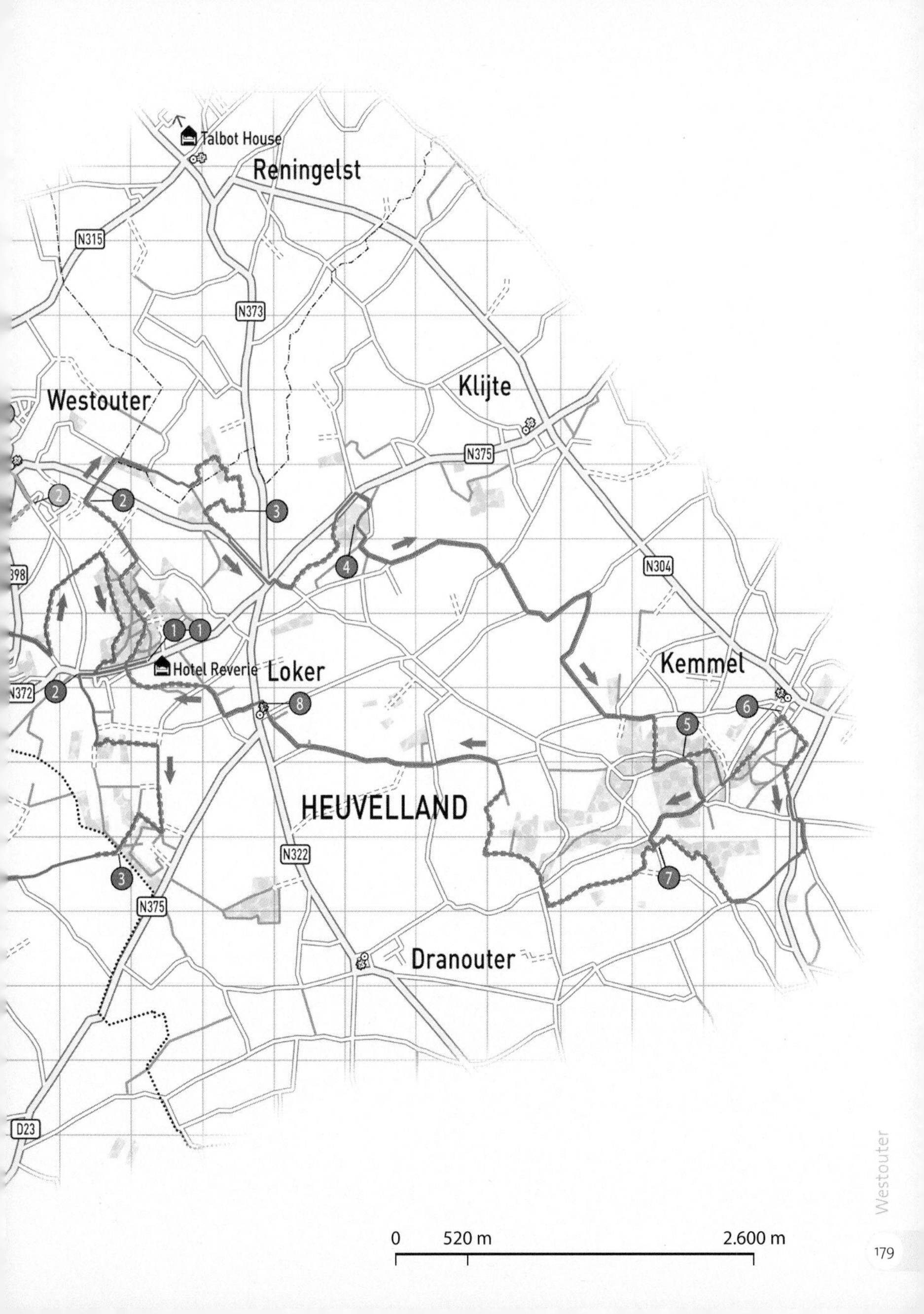
Talbot House
Reningelst
N315
N373
Klijte
Westouter
N375
N304
Hotel Reverie
Loker
Kemmel
N372
HEUVELLAND
N322
N375
Dranouter
D23
0
520 m
2.600 m

1. Naar de Kemmelberg

PRACHTIGE UITZICHTEN OVER HET OMMELAND

De eerste wandeling voert je naar de bekendste van de West-Vlaamse heuvels. Doorheen het domeinbos Rodenberg en de natuurreservaten Sulferberg en Brandersbos bereik je de Scherpenberg. Dan steek je een brede vallei over, uitgeschuurd door de Kemmelbeek, op weg naar de Kemmelberg. Over nieuw aangelegde graspaden op de zuidflank steek je door naar de Monteberg en Loker. Hier begint opnieuw de klim naar de hoofdkam. Een colletje tussen de Rodeberg en de Baneberg helpt je hierbij.

AFSTAND 19,8 km, verkorting 16,8 km (rood).
VERTREK Hotel Reverie
AARD VAN DE WEG Aardewegen en verkeersarme asfaltwegen.
TOEGANKELIJKHEID Mogelijk voor buggy's behalve na regenval (modder en glibberig terrein). Hier en daar dienen honden aan de leiband.
ETEN & DRINKEN

- Enkele horecazaken langs de grote weg aan de Scherpenberg (juist voor **[4]**).
- Brasserie-restaurant Belvédère (bij **[5]**).
- Brasserie De Alverman (langs de verkorting).
- Enkele zaken aan de overzijde van de dries van Kemmel **[6]**, waaronder Het Labyrint: Dries 28, 8950 Kemmel, ✆ 057 44 65 81, ✉ hetlabyrint@belgacom.net, 🖳 www.hetlabyrint.be, open dag. 10.00-22.00 u, di. gesloten.
- Hotel-restaurant-brasserie De Hollemeersch (juist voor **[7]**).
- Café-restaurant De Monteberg: Lettingstraat (tussen **[7]** en **[8]**).
- Meerdere zaken op de Rodeberg (bij **[1]**).

SCHERPENBERG

De Scherpenberg heeft een woelige geschiedenis achter de rug. In 1622 stond er al een houten molen. In 1753 overleed een molenaar toen hij voor een herstelling in de wiek kroop terwijl de vang, een soort rem, het begaf. De molen werd tijdens de Franse Revolutie in 1794 door soldaten vernield en in 1800 heropgebouwd. Tijdens de Eerste Wereldoorlog diende hij als observatiepost voor de Britten, terwijl in de buik van de berg een commandopost, slaapplaatsen en een hospitaal ondergebracht was.

DE WANDELTOCHT

1 2 Met de rug naar **Hotel Reverie [1]** steek je de weg over en volg je het voetpad naar links. Aan wandelknooppunt 36 ga je haaks rechts het domeinbos Rodenberg in. Via 35, 33, 25, 24 en 11 leiden bospaden je de Rodeberg af . Aan 11 volg je de asfaltweg naar links, je dwarst de Kwadestraat en aan **knooppunt 19 [2]** ga je rechts naar 17.

2 3 Je steekt de Sulferbergstraat en de gelijknamige beek over en aan 17 neem je rechts de Blauwepoortstraat over 18 naar 12. Hier volg je de aardeweg schuin links richting 13. Voorbij het bos ga je haaks links langs de struiken. Bij de villa volg je rechts het aardepad langs de afsluiting. Trappen dalen af naar een beek en in de bronbosjes aan de overzijde begin je rechts aan een klim. Haakse bochten en vlonders leiden je langs een reeënweide naar knooppunt 13 op de **Goeberg [3]**, 83 m boven de zeespiegel en met een prachtig uitzicht naar Ieper en Poperinge.

3 4 Verder genietend van het panorama op de Scherpenberg en de Rodeberg vervolg je rechts naar 28. Daar kies je de aardeweg naar links. In 29 ga je rechtdoor. Dat doe je ook aan de grote weg en aan knooppunt 30. Je volgt de N375 richting De Klijte maar je zoekt onmiddellijk de Ronsevaalstraat op naar 48. De straatnaam verwijst naar een Pyreneeëncol op de pelgrimsweg naar Compostella. Dit is een col tussen Scherpenberg en Rodeberg waardoor je van de noordelijke zijde van de heuvelrug naar het zuiden doorsteekt. Je kijkt hier tot diep in Frankrijk. Rechts koestert de plompe torenloze kerktoren van Loker zich tegen de Rodeberg aan. Aan 48 ga je links naar de Scherpenberg. Je rondt de berg langs de horecazaken en bij 52 neem je het smalle asfaltwegje naar 50. Na 200 m (net voorbij de tweede afslag naar links) volg je de steile bosweg over de top van de **Scherpenberg [4]**.

4 5 Terug beneden vervolg je rechtdoor en sla je tweemaal links af richting 54. Je rondt hier een diep dalhoofd. Aan de T-sprong neem je de Kalissestraat naar links. Op het einde gaat het even links om direct de Brulozestraat rechts te ruilen voor de Steenhofstraat richting 55. Aan de T-sprong ga je links de Noordstraat in en voorbij de Kemmelbeek begin je aan de gestage klim naar de Kemmelberg. Aan 55 moet je scherp rechts de Klareputstraat in. Op het einde volg je de Lokerstraat naar links. Je passeert 75 en 250 m verder sla je rechts een steil aardepad met treden in over 83 naar de top van de Kemmelberg (84). Boven volg je het asfalt naar links naar de **belvédère (82) [5]** waar je desnoods kunt verkorten.

5 6 Bij 82 verlaat je de kasseiweg voor het aardepad bergaf richting 81. Net voor de asfaltweg wandel je rechts door een hek. Je zoekt de weg naar 80 doorheen het jonge speelbos. Aan de betonweg ga je even links om aan de splitsing schuin rechts de Kasteeldreef te nemen. Je rondt het gebouw langs rechts en bij 80 kies je rechtdoor het rode grind naar 79. Een poortje brengt je op de **dries van Kemmel [6]**.

6 7 Je gaat rechts de Pannenstraat in en aan de Kasteeldreef volg je rechtdoor het aardepad richting 85. Aan de T-sprong kies je rechts langs de bosrand en 200 m verder buig je schuin links mee met de GR. Je vervolgt even op de drukke asfaltweg om links de Gremmerslinde te vinden. Je gaat onmiddellijk over in de Lindestraat. Aan 87 kies je het aardepad rechts naar 89. Met zicht op de kerk van Nieuwkerke steek je een asfaltweg over. Op een volgende grote weg ga je rechts verder en voorbij een picknicktafel sla je bij 89 rechts in over een breed graspad op de flank van de Kemmelberg. Aan 88 gaat het rechtdoor richting 72. Voor een horecazaak buig je haaks links af langs het terras. Een draaihek brengt je in een weide die je schuin links volgt naar het draaihek van **knooppunt 72 [7]**.

7 1 Je steekt er de asfaltweg over richting 65. Zigzaggend volg je de tekens naar 65, je rondt een wijngaard en bereikt Restaurant De Monteberg. Een kort stukje Montebergstraat brengt je bij 64 waar je schuin links de grindweg naar 59 kiest. De kerken van Dranouter en Loker en de Rodeberg komen in het vizier. Voorbij een draaihek vervolg je rechts langs een picknicktafel en je stapt rechtdoor naar 61. Een vlonderpad leidt je over een beekje en waar het graspad voorbij een ander draaihek op een grindweg uitkomt, volg je die links. Bij 61 sla je links af en de geasfalteerde Godtschalkstraat brengt je steeds rechtdoor gaand over 60 en 11 naar 10, de **kerk van Loker [8]**. Je stapt rechtdoor het klinkerpad op. Voorbij het kerkhof sla je links af langs de speeltuin en je steekt de hoofdstraat over richting 44. Hier neem je rechts de Galooistraat. Bij 45 ga je enkele meters naar links tot 46 waar je schuin rechts de grindweg richting 37 volgt doorheen een holle weg. Aan de parking ga je rechts naar de grote weg bij 36. Daar scheiden 150 m naar rechts je van **Hotel Reverie [1]**.

VERKORTING

5 7 Aan het bord op de parking van de **belvédère [5]** daal je het aardepad af. Je komt op de kasseiweg die je rechts volgt om de Kemmelberg af te dalen. Op de T-sprong kies je de weg rechts. 150 m voorbij de Hollemeersch sla je links de Beukelaarstraat in. Nauwelijks 50 m verder eindigt de verkorting bij **knooppunt 72 [7]** waar je rechts richting 65 wandelt.

2. Naar Sint-Jans-Cappel

KENNISMAKING MET HET FRANS-VLAANDEREN

De wandeling brengt je naar Sint-Jans-Cappel, een rustig dorpje aan de voet van de Mont Noir (Zwarteberg) en langs de La Cappel Becque (Capellebeek). Boven het dorp torent de Sint-Jan-de-Doperkerk uit 1884. Voorbij het dorp klim je door een landschap als een middengebergte naar de Mont Noir. Aan de voet, op de grens, is het druk in de horeca-, bloemen- en pralinezaken. Op de Zwarteberg verbleef Marguerite Yourcenar. De omgeving van Sint-Jans-Cappel staat dan ook volledig in haar teken.

AFSTAND 17,1 km, verkorting 15,7 km (paars).
VERTREK Hotel Reverie
AARD VAN DE WEG Aardewegen en verkeersarme asfaltwegen.
TOEGANKELIJKHEID Mogelijk voor buggy's behalve na regenval (modder en glibberig terrein). Hier en daar dienen honden aan de leiband.
ETEN & DRINKEN

- Een café in het centrum van Sint-Jans-Cappel.
- Café-brasserie-tearoom L'Etang des 3 Fontaines (juist voor **[6]**), 59270 Sint-Jans-Cappel, di. gesloten behalve juli-aug.
- Meerdere horecazaken ter hoogte van wandelknooppunt 12 **[7]**.

DE WANDELTOCHT

1 – 2 Met de rug naar **Hotel Reverie [1]** neem je het voetpad naar links. Je negeert de afslag naar de Lijstermolendreef en aan de kapel ter ere van **Sint-Godelieve [2]** volg je links de Schomminkelstraat onder de zetellift richting 40 en 41.

2 – 3 Je negeert de Gildestraat en met een mooi uitzicht op de torens van Bailleul bereik je 41. Je kiest er het draaihek links naar 43 en voorbij enkele treden steek je een beek over. Waar de kerk van Loker opdoemt, moet je aan de T-sprong rechts naar 42. Ook de kerktorens van Dranouter en Nieuwkerke en de Monteberg en de Kemmelberg steken aan de horizon uit. De asfaltweg gaat over in een stenige aardeweg in een brede holle weg. Bij 42 ga je rechts richting 62. Een haakse bocht naar links gevolgd door een aardepad brengt je naar de **Douvebeek [3]** en de 'Fransche Schreve'.

3 – 4 Door open akkerlandschap stijg je richting 58, eerst over een aardeweg, later krijg je asfalt onder de voeten geschoven. Achterom kijkend zie je kasteel Behaegel. Aan een dwarsweg ga je rechts verder tot de viersprong bij 58. Hier kies je links richting 9. Onderweg dwars je voorzichtig de grote weg bij Croix de Poperinghe naar de chemin de la Glaise. Bij 9 kies je de aardeweg rechtdoor naar 7. Onderweg geniet je van uitzichten naar de kerken van Sint-Jans-Cappel (voor je), Méteren (op de achtergrond) en Belle (links). Op het asfalt stap je rechtdoor verder naar de viersprong van **Meulenhouck [4]** waar de verkorting aanvangt. Het gewone parcours gaat rechtdoor.

4 – 5 Aan de hoofdweg wandel je 200 m naar links om bij een veldkapel rechts een asfaltweg te nemen. Bij de vierprong 600 m verder volg je de aardeweg rechts. Op het einde ga je rechts de asfaltweg op naar de kerk van Sint-Jans-Cappel. Onderweg geniet je van het uitzicht op Zwarteberg. Voor de kerk ligt rechts het museum van Marguerite Yourcenar. Op het einde van de weg ga je links en onmiddellijk rechts in de rue de la Blanchisserie naar **knooppunt 5 [5]**.

5 – 6 Aan **knooppunt 5 [5]** vervolg je rechtdoor richting 3. Voorbij huisnummer 423 moet je links. Asfalt maakt plaats voor gras. Een haakse bocht naar rechts brengt je over een aardepad langs een hoeve naar 3. Hier kies je links en aan de asfaltweg rechts om de splitsing van 2 te bereiken. Je gaat rechts richting 1. Aan de parking van een horecazaak moet je dan links een smal aardepad volgen langs de omheining omhoog. Je laat de **ferme Flamande [6]** letterlijk links liggen.

6 7 Een asfaltweg klimt verder de Zwarteberg op. Bij 1, waar je links Villa Mont Noir ziet, vervolg je rechtdoor tot de infoborden bij 99. Hier geniet je van een prachtig uitzicht over Belle. Je gaat rechts naar 73. Daar liggen eerst enkele trapjes en dan neem je de bosweg richting 94 (slechte aanduiding). Voorbij een chicane ga je links richting 93. Je passeert opnieuw een poort en je neemt de holle weg naar rechts langsheen een klein Engels kerkhof. Je steekt een drukke weg over naar een grindpad. Aan de viersprong van 93 sla je links de asfaltweg in naar 12. Waar het asfalt naar rechts wegdraait vervolg je rechtdoor over een stenig aardepad. Verderop krijg je mooie uitzichten over de vallei van de Douvebeek die de grens vormt. Een haakse bocht verder klim je naar de drukke straat tussen de Vidaigneberg en de Zwarteberg bij **knooppunt 12 [7]**.

7 8 Hier ga je links langs de horecazaken richting 10. Om die te bereiken moet je voor het bord 'France' het aardepad rechts bergaf volgen. Je loopt van 12 tot 10 voortdurend op de grens. Op de asfaltweg ga je rechtdoor en bij 10 moet je rechts naar 9. Je wandelt langs de vijvers van de Ponderosa. Op de splitsing neem je de asfaltweg rechts die je onmiddellijk verlaat voor een graspad links naar 8. Daar stap je rechtdoor onder de struiken richting 14. Hier vangt een mooie maar na regenweer modderige passage door het **natuurreservaat Broekelzen [8]** aan.

8 1 Haakse bochten en vlonders helpen je naar 14. Daar ga je rechts en je volgt onmiddellijk de asfaltweg naar links richting 21. Onderweg moet je voorzichtig de weg naar Westouter dwarsen en 300 m daar voorbij niet vergeten de scherpe afslag naar links te nemen. Voor je zag je opnieuw de zetellift. In de afdaling naar 21 geniet je van het uitzicht tot Poperinge. Bij 21 steek je een asfaltweg over naar de vergrinde Kwadestraat. Voorbij de Hellegatbeek sla je aan 22 rechts een aardepad in, bergop naar de bosrand. In het bos wandel je bij 23 schuin rechts richting 38. In verschillende etappes klim je de Rodeberg op, doorheen het Kotje Piepersbos en het Hellegatbos, soms langs omheiningen, dan over vlonders tot een T-sprong waar je links een bospad bergop naar 38 kiest. Daar buig je rechts af richting 39, maar aan de grote weg verlaat je het wandelnetwerk. Je gaat er links voor de laatste loodjes naar de top en **Hotel Reverie [1]**.

VERKORTING

4 5 Inkorten doe je door aan de **Meulenhouck [4]** rechts de asfaltweg die in aarde overgaat te nemen. Na twee haakse bochten bereik je knooppunt 7 en volg je links de asfaltweg tot **knooppunt 5 [5]** in Sint-Jans-Cappel. Daar komt het gewone parcours van links en moet je rechts richting 3. Wil je toch het museum Marguerite Yourcenar bezoeken dan ga je links. Je vindt het museum links achter de kerk.

3. Naar de Katsberg

OVER BERTHEN EN BOËSCHÈPE

Bij de derde wandeling dring je diep op Frans grondgebied door. Door een vrij vlak landschap met weidse uitzichten over de heuvels, wandel je langs Berthen naar het klooster op de Katsberg. Wie wil kan nog een mooie wandeling rond de top maken. In de verte doemt de Casselberg op, maar het is te ver om ook zijn scalp nog te versieren. De terugweg loopt langs de molen van Boëschèpe en de Kokereelberg. Tot het einde blijf je uitkijken over het vlakke land van Poperinge.

AFSTAND 18,1 km, verkorting 10,6 km, uitbreiding 20,3 km (oranje).
VERTREK Neerplaats aan de kerk van Westouter
AARD VAN DE WEG Aardewegen en verkeersarme asfaltwegen.
TOEGANKELIJKHEID Mogelijk voor buggy's behalve na regenval (modder en glibberig terrein). Hier en daar dienen honden aan de leiband.
ETEN & DRINKEN

- Auberge 't Hommelhof (juist voor **[4]**): 643, rue du Purgatoire, 59299 Boëschèpe, ☏ 0033 3 28 49 41 96, open: weekends en feestdagen, tijdens de week enkel voor groepen en op reservatie.
- Enkele cafés in het centrum van Berthen (bij **[5]**).
- Restaurant-brasserie L'Auberge du Mont des Cats (bij **[6]**), Mont des Cats, 59270 Godewaersvelde, ☏ 0033 3 28 42 51 44, 📠 0033 3 28 42 52 05, 💻 www.montdescats.com, ✉ auberge@montdescats.com.
- Twee cafés in Boëschèpe, een op de place de l'Eglise (**[7]**) en een aan het grote kruispunt.
- De Neerplaats en 't Peenhof op de Neerplaats van Westouter (**[1]**)

LES MONTS DE FLANDRE

Liggen er in het Belgische deel van de West-Vlaamse heuvels een tiental toppen, in Frankrijk zijn er slechts zes die naam waardig. In het westen liggen bij Cassel de Casselberg en de Recolettenberg. Mont Noir, Mont Kokereel, Mont de Boëschèpe en Mont des Cats, leunen aan bij de Belgische heuvels. Mont des Cats of Katsberg is afgeleid van de Katts, een Germaans volk dat in de 5de eeuw deze streek bezette.

DE WANDELTOCHT

1 – 3

Van de **Neerplaats [1]** wandel je naar de kerk. Daar ga je schuin rechts en op het driehoekig pleintje met het Poolse kapelletje kies je links de Schomminkelstraat. Aan het einde van de bebouwde kom bereik je **wandelknooppunt 15 [2]** en volg je de grasweg rechts richting 7. Daarvoor moet je de grote weg links volgen om rechts de Soldatenstraat te kiezen. Aan 7 gaat het rechtdoor, asfalt maakt plaats voor gras en enkele zigzaggen verder bereik je **knooppunt 8 [3]**. Je kiest er voor 9.

3 – 4

Bij 9 ga je rechts, je negeert de asfaltweg naar links en bij 5 moet je linksaf de aardeweg nemen. Bij 4 steek je de grens over en aan 96 gaat het rechtdoor richting 97. Op het einde van de rue de Pudefort ga je daarom even rechts om onmiddellijk links de chemin de la Levrette op te zoeken. Waar die haaks links afbuigt verlaat je het wandelroutenetwerk voor de aardeweg rechts. Op het einde kom je in een knik van een asfaltweg die je links volgt. Aan Auberge 't Hommelhof kijk je uit op Belle en het klooster op de Katsberg. Aan de T-sprong sla je rechts af en beklim je de Mont Kokereel. 50 m verder kun je net **voor een hoeve [4]** inkorten.

4 – 6

De hoofdroute volgt de aardeweg links naar het dorpje Berthen.Op de rijweg vervolg je rechts naar het **centrum [5]**. Je steekt de hoofdweg over naar de rue de Godewaersvelde. Voorbij een beekje kies je schuin rechts de aardeweg langs de koetsenmaker. Aan een viersprong dreig je op asfalt te komen en je kiest er de aardeweg rechts. Op het einde stap je de rijweg links op en waar die haaks rechts afbuigt volg je de wit-rode tekens door het bos. Boven aan de TV-mast ga je scherp rechts over de vergrindde parking en aan de bosrand volg je opnieuw de GR-tekens langs een kapel naar het klooster. Je gaat naar rechts tot aan de **Auberge du Mont des Cats [6]**, tenzij je kiest voor de uitbreiding.

6 – 7

Aan het kruispunt bij de **Auberge du Mont des Cats [6]** neem je de asfaltweg naar Berthen. Beneden aan het kruispunt ga je rechtdoor richting Boëschèpe. 75 m verder verkies je de bosweg links. Het pad eindigt in een knik van een asfaltweg die je rechts volgt. Op het einde van de rue des Cinq Chemins Verts ga je links en voorbij huisnummer 1018 neem je de aardeweg links. Voorbij de afdaling in het bos stap je de asfaltweg rechts op. Aan een Y-splitsing kies je de rechtertak en met zicht op een windmolen steven je af op Boëschèpe. Je dwarst de hoofdweg schuin rechts naar de kerk. Op de **place de l'Eglise [7]** ga je rechts en je steekt door naar het grote kruispunt. Daar volg je de D10 richting Berthen.

7 1 Aan het kruisbeeld vervolg je de hoofdweg schuin links en boven op de helling kies je de aardeweg schuin links. Op de asfaltweg ga je rechtdoor naar de afslag **boven op de Mont Kokereel [8]**. Je stapt rechtdoor, je negeert de gîte d'étape, maar aan 't Voshol sla je links de rue du Mont Noir in. Aan de Auberge du Vert Mont geniet je van het panorama richting Ieper en Poperinge. Je daalt de Vert Mont af en aan hoeve 838 volg je rechts de aardeweg. Onderweg zie je mooi Boëschèpe liggen op de helling van de gelijknamige berg. Op het einde neem je de asfaltweg naar rechts en even verder verlaat je de rue de la Roume voor de rue de Reninghelst. Aan een huis met lemen dak kies je rechts de rue Coustenoble. Voorbij een lange hangar neem je het smalle pad links. 10 m verder struikel je net niet over de grenspaal uit de Hollandse periode en je neemt het smalle weggetje rechts. Aan de T-sprong ga je links. Waar de hoofdweg rechts meedraait wandel je rechtdoor de Vleminkhofstraat in. Verderop volg je een grindweg richting knooppunt 2. 400 m verder moet je dan rechts en kun je genieten van een overzicht van alle heuvels die je dit weekend verkend hebt. Een zigzaggende asfaltweg brengt je terug op de **Neerplaats [1]**.

VERKORTING

4 8

Aan de **voet van Mont Kokereel [4]** vervolg je de asfaltweg bergop. Aan de haakse bocht heb je een mooi panorama naar de Katsberg en Bailleul. Je passeert de Onze-Lieve-Vrouw van het Heilig-Hartkapel en op het einde van de rue du **Mont Kokereel [8]** eindigt de verkorting en stap je rechts verder.

UITBREIDING

6 6

Voor het klooster wandel je naar links langs de kloostermuur. Aan huisnummer 189 daal je rechts het graspad af. Je dwarst een asfaltweg en beneden volg je een andere rijweg naar rechts. Je ruilt die voor de D18 richting Godewaersvelde. Voorbij huisnummer 487 neem je rechts een smal pad. Aan de T-sprong ga je links verder. Op het einde van deze chemin de la Boulangerie vervolg je rechts en bij huisnummer 1922 neem je schuin links de chemin du Moulin. Je negeert de afslag links en je steekt een asfaltweg over naar de Auberge du Castberg. Voor het gebouw buig je rechts af naar het Sentier des Fraudeurs. Enkele trappen leiden naar een asfaltweg die je links volgt. Aan huisnummer 422 kies je rechts het bospad bergop. Op het einde volg je de asfaltweg links langs de kloostermuur tot de **Auberge du Mont des Cats [6]**.

10. De Panne Koksijde

UITWAAIEN LANGS DE KUST

Nergens aan onze kust kom je zoveel natuurgebieden tegen als tussen De Panne en Nieuwpoort. Ze vormen een rist van de Franse grens tot aan de IJzermonding. Slechts hier en daar worden ze onderbroken door een streepje bewoning van de kustgemeenten of door een weg. Uiteraard staat 'de Sahara' op het programma. Niet alle natuurgebieden zijn duinen. Je komt ook door het bebossingproject van het Calmeynbos en het vochtige Hannecartbos. Ook het open landschap van De Moeren doe je aan. De laatste wandeling is waarschijnlijk de mooiste uit het boek. Je wandelt van De Panne door duinen en bossen naar Nieuwpoort en als toemaatje word je gratis de IJzer overgezet.

EN IN DE MOEREN

Onze logiestips: Het Prinsenhof ligt in het centrum van De Panne, op slechts 30 meter van het strand. Het is een gezellig familiehotel dat zich goed leent voor een zomerse strandvakantie of een weekendje fietsen en wandelen tijdens de wintermaanden. Jan Vivijs en Marleen Hensen vonden de oude Villa Ma Coquille via een krantenadvertentie. Het is een van de oudste villa's in St.-Idesbald en waarschijnlijk net voor de Eerste Wereldoorlog als buitenverblijf gebouwd voor rijke industriëlen. Vandaag is de villa gerestaureerd en omgevormd tot **B&B Certi Momenti**.

Onze wandeltips: Wandeling 1 leidt je door het natuurreservaat De Westhoek met het Calmeynbos, de Oosthoekduinen, de Houtsaegerduinen en het Kerkepannebos. Tijdens de tweede wandeling trek je de Moeren in, het enige landbouwgebied in ons land dat onder zeeniveau ligt. Op de derde wandeling blijf je steeds één tot anderhalve kilometer van het strand vandaan. Op het programma van deze wandeling staat ook de oversteek van de IJzer, tijdens de terugweg kun je lekker uitrusten op de kusttram.

Oud en nieuw

HOTEL PRINSENHOF

In De Panne kennen ze dit hotel beter als het *Hôtel des Princes*. Die naam siert trouwens nog steeds de klassieke gevel. Het etablissement dateert van de tijd toen alleen de betere, lees de Franstalige, burgerij zich een vakantie aan zee kon veroorloven.

Hôtel des Princes werd aan het einde van de jaren twintig gebouwd in de typische art-decostijl van die periode. Terwijl de badplaats zich snel verder ontwikkelde, leek het wel of de tijd in *Hôtel des Princes* bleef stilstaan. De rijke burgerij verdween en het hotel werd een ouderwets familiehotel.

De sfeervolle bar is een trefpunt geworden voor theeliefhebbers, want de kaart biedt een uitgebreide keuze van theesoorten.

Burcho Van den Kerckhove is sinds 2000 de nieuwe uitbater van het hotel. De Oost-Vlaming deed na zijn hotelopleiding in Brussel een aantal jaren ervaring op in de hoofdstad, maar kreeg al snel zin om op eigen benen te staan. Samen met zijn vriendin is hij de uitdaging aangegaan om Hôtel des Princes een verjongingskuur te geven. Omdat de financiële middelen beperkt waren, hebben ze de renovatie over verscheidene jaren gespreid. Ondertussen zijn alle kamers vernieuwd. Burcho is terecht trots op het resultaat: "Aan de structuur van het gebouw hebben we weinig veranderd, maar in de inrichting hebben we voor onze eigen stijl gekozen om het hotel een jongere look te geven". Die eigen stijl hebben ze mooi gecombineerd met de oorspronkelijke inrichting. Zo is in de receptie de prachtige tegelvloer weer zichtbaar geworden. In de bar is het oude meubilair behouden, maar is de verlichting resoluut modern. Die sfeervolle bar is trouwens

Hotel Prinsenhof, Nieuwpoortlaan 46, 8660 De Panne
+32 (0)58 41 10 91, info@hoteldesprinces.be, www.hoteldesprinces.be
75 euro per nacht per kamer, ontbijt inbegrepen.

een trefpunt geworden voor theeliefhebbers, want de kaart biedt een uitgebreide keuze van theesoorten.

Alle 36 kamers beschikken over douche en wc. Hoewel ze vrij klein zijn, zorgen de helle kleuren voor een gevoel van ruimte. Een aantal kamers hebben uitzicht op zee; de grotere zijn ingericht als gezinskamers. Wie over de trap naar de etages gaat, merkt het lichtspel op van de gekleurde art-decoramen in de trappenhal.

In de ontbijtruimte wordt 's morgens een buffet opgediend, waarbij een groot aantal gezonde streekproducten en het zelfgebakken notenbrood opvallen. De gasten kunnen ook kiezen voor de mogelijkheid van half- of volpension; er gelden speciale prijzen voor families met kinderen.

Het hotel ligt in het centrum van De Panne, op slechts 30 meter van het strand, maar voor fietsliefhebbers heeft Burcho allerlei routes door de nabijgelegen natuurgebieden uitgestippeld.

Door de recente vernieuwingen is het *Prinsenhof* dus een gezellig familiehotel geworden, dat zich heel goed leent voor een zomerse strandvakantie of een weekendje fietsen en wandelen tijdens de wintermaanden.

Terug naar zee

B&B CERTI MOMENTI

Jan Vivijs en Marleen Hensen hadden samen een fotozaak in Willebroek. Toen ze die onderneming een paar jaar geleden verkochten, ging het echtpaar op zoek naar een woning aan zee. Marleen is een geboren West-Vlaamse en na jaren in het binnenland dreef heimwee haar terug naar de kust.

Via een krantenadvertentie vonden ze de oude *Villa Ma Coquille* in Sint-Idesbald. "Het was liefde op het eerste gezicht", vertelt Marleen. Jan en Marleen moesten vlug toehappen, want een huis zoals dit is nog moeilijk te vinden aan de Belgische kust. De villa is een van de oudste in Sint-Idesbald en waarschijnlijk net voor de Eerste Wereldoorlog als buitenverblijf gebouwd voor rijke industriëlen. Onlangs vond het echtpaar op een rommelmarkt een oude prentbriefkaart waarop *Villa Ma Coquille* eenzaam in de duinen staat. In de loop van de jaren zijn er in de wijk heel wat andere villa's bijgekomen, maar de omgeving is een mooi geheel van charmante cottages gebleven.

Met de nieuwe bewoners heeft de oude villa niet alleen een facelift, maar ook een nieuwe identiteit gekregen. *Certi Momenti* is de naam die Jan ooit bedacht voor een foto die nu in de hal hangt. Die foto moest de eerste worden van een reeks momentopnames die zouden dienen voor een tentoonstelling. Die tentoonstelling is er wegens tijdgebrek nooit gekomen, maar omdat het echtpaar vindt dat de naam zo goed klinkt, hebben ze hem gebruikt voor hun nieuwe huis. Daarenboven is het een verwijzing naar de vele goede momenten die zij en de gasten hier beleven.

B&B Certi Momenti, Myriamweg 16, 8670 Sint-Idesbald (Koksijde)
+32 (0)58 51 89 05, info@certimomenti.be, www.certimomenti.be
65 euro per nacht per kamer, ontbijt inbegrepen.

Om de sociale contacten te behouden zijn Jan en Marleen begonnen met gastenkamers. Het echtpaar heeft de woning zodanig verbouwd dat de gasten hun eigen ingang en leefruimte hebben. Bij de inrichting van de drie gastenkamers hebben ze hun creativiteit de vrije loop gelaten om veel sfeer en warmte te creëren. In de *Déjà-vu*-kamer overheerst de witte kleur; in *Namaste* word je in een Indiase sfeer ondergedompeld en de *Stones and Things*-kamer verwijst naar de originele decoratie met stenen. De drie kamers delen een badkamer en daarom is voor alle gasten in badjassen voorzien.

Op de eerste verdieping is er een groot zonneterras ingericht met comfortabele ligstoelen. Ook hier vind je speelse decoratie: de parkeermeter naast de ligstoelen hoeven de gasten niet te gebruiken, want je mag hier onbeperkt wegdromen en genieten van *certi momenti*.

Met de nieuwe bewoners heeft de oude villa niet alleen een facelift, maar ook een nieuwe identiteit gekregen.

De Panne - Koksijde praktisch

ALTERNATIEVEN

Gezien beide overnachtingsplaatsen nog geen 2 km van elkaar af liggen, zijn er per wandeling alternatieven uitgewerkt.

BEOORDELING

Bij wandeling 1 en 3 is mul duinzand vaak aan de orde. In De Moeren komen veel aardewegen en verharde wegen voor. De laatste kennen weinig verkeer. Je kunt de wandelingen in elk seizoen doen. Na regenweer kunnen paden er soms modderig bij liggen, ook in de duinen.

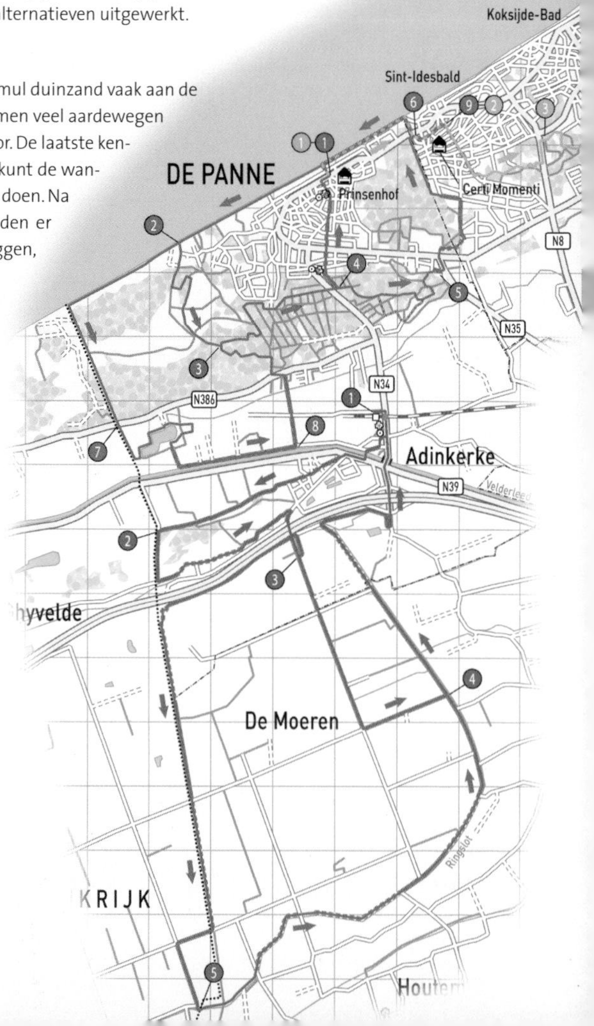

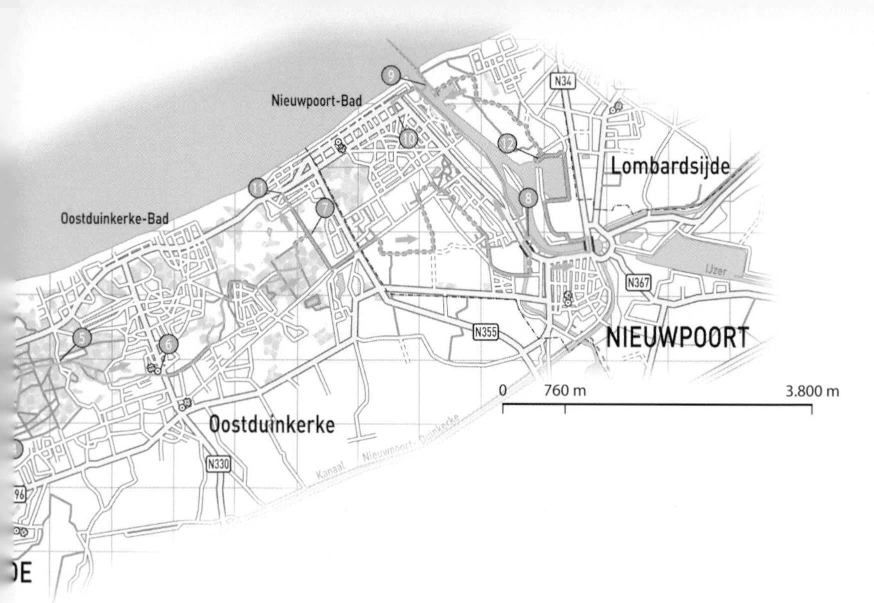

HOE KOM JE ER?

MET DE TREIN In Adinkerke-De Panne eindigt een spoorlijn vanuit Gent-Sint-Pieters. Dit station is tevens de eindhalte van de kusttram, die je op enkele honderden meters van de overnachtingsplaatsen brengt. Je kunt ook in Oostende de kusttram nemen.

MET DE AUTO Hotel Prinsenhof in De Panne bereik je door de E40 te verlaten bij afrit 1-Adinkerke en de N34 te volgen. Even voorbij de lichten van de Zeelaan ligt rechts het hotel. Voor B&B Certi Momenti verlaat je de E40 bij afrit 1a-Veurne en over de N8 kies je de richting Koksijde. Bij het binnenrijden van Koksijde kies je aan de vijfsprong schuin links voor Sint-Idesbald. De B&B ligt aan de zijstraat links voorbij de kerk.

KAARTEN

NGI topografische kaart 1/25.000, nr. 11/7-8 (De Panne - Koksijde), 12/5-6 (Nieuwpoort - Leke) en 19/3-4 (Veurne - Alveringem).

INFORMATIE

- Dienst voor Toerisme De Panne: Gemeentehuis, Zeelaan 21, 8660 De Panne, 058 42 18 18, 058 42 16 17, www.depanne.be, toerisme@depanne.be.
- Vlaams Bezoekerscentrum De Nachtegaal: Olmendreef 2, 8660 De Panne, 058 42 21 51, 058 42 21 52, www.vbncdenachtegaal.be, natuur.nachtegaal@lin.vlaanderen.be.
- Dienst Toerisme Koksijde: Oud-gemeentehuis, Leopold II-laan 2, 8670 Oostduinkerke, 058 53 21 21, 058 53 21 22, www.koksijde.be, toerisme@koksijde.be.
- Bezoekerscentrum IWVA Doornpanne: Doornpanne 2, 8670 Oostduinkerke, 058 53 38 33, www.iwva.be.
- Dienst voor Toerisme Veurne: Grote Markt 29, 8630 Veurne, 058 33 55 31, 058 33 55 96, www.veurne.be, infotoerisme@veurne.be.
- Dienst voor Toerisme Nieuwpoort: Marktplein 7, 8620 Nieuwpoort, 058 22 44 44, 058 22 44 28, www.nieuwpoort.be, info@nieuwpoort.be.

1. Westhoek

ZAND, ZAND EN NOG EENS ZAND

In het uiterste westen van onze kuststrook ligt het grootste aaneengesloten duinencomplex van het land, het natuurreservaat De Westhoek. 340 ha zand en struikgewas bedekt er de grensstreek met Frankrijk. Aan de rand ligt het Calmeynbos, een duinbebossingsproject uit het begin van de 20ste eeuw. Voeg daarbij de weelderige begroeiing van de Oosthoekduinen, de Houtsaegerduinen en het Kerkepannebos en een prachtige wandeling dient zich aan. Nergens kom je meer mul zand tegen als hier.

AFSTAND 12,5 km, verkorting (enkel bij start Prinsenhof) 8,1 km, uitbreiding 19,5 km; vanuit Certi Momenti telkens 2 x 0,5 km supplement (rood).
VERTREK Hotel Prinsenhof **[1]** of B&B Certi Momenti **[9]**.
AARD VAN DE WEG Veel zand, verder aardewegen en verkeersarme asfaltwegen.
TOEGANKELIJKHEID Onmogelijk voor buggy's. Hier en daar dienen honden aan de leiband.
ETEN & DRINKEN

- Le Palais du Picon **[7]**: Rue Albert Ier 203, F-59123 Bray-Dunes, 0033 3 28 26 54 40, dag. geopend
- Restaurant-tearoom De Drie Vijvers (voorbij **[7]**): Smekaertstraat 37, 8660 Adinkerke, 058 41 14 54 en 058 41 30 36, 058 42 11 11, www.dedrievijvers.be, info@dedrievijvers.be.
- Café-restaurant Lusthof (voorbij **[5]**): Veurnestraat 289, 8660 De Panne, 058 41 20 84.
- Strandcafé op einde van R. Allemeeschlaan (voorbij **[6]**).

DE WANDELTOCHT

1 3 Aan **Hotel Prinsenhof [1]** steek je de hoofdweg over naar de zeedijk. Je volgt het strand naar links. Voorbij het **laatste appartementsgebouw [2]** gaat de uitbreiding rechtdoor. Het gewone traject ruilt het strand voor een plankenvloer en dan volg je de Schuilhavenlaan naar de infokiosk van De Westhoek. Je kiest er de groene wandeling, eerst tussen struiken dan over de Romeinse Vlakte en opnieuw in begroeid duinengebied. Aan de **af-**

slag van de rode wandeling [3] volg je rood en op het einde kies je de grijze wandeling links.

3 4 Plots gaat die haaks naar links maar je wandelt rechtdoor tot de afslag voor de panoramatoren. Hier volg je de GR-tekens naar rechts. Voorbij een infobord en twee slagbomen kom je op een kronkelend bospad (bruine paaltjes). Plots verlaat je het bos bij een kaarsrecht betonpad. Hier volg je de GR-tekens naar links, je negeert alle betonnen dienstpaden in het gerooide Calmeynbos, de weg buigt naar links en eindigt op een T-sprong. Hier ga je rechts verder en weldra stap je door een bosdreef naar de **tramsporen aan de Olmendreef [4]**. Hier vertrekt de verkorting naar Hotel Prinsenhof.

4 5 Het hoofdtraject steekt over naar de Olmendreef. Voor de tennisvelden en het bezoekerscentrum De Nachtegaal sla je rechts een aardepad in. Vanaf hier volg je het Sleedoornwandelpad. Op het einde van de tennisclub volg je de bordjes van dit pad rechtdoor. 300 m verder steek je een dwarsweg over en weldra leidt een klaphek je de begrazingszone in. Honden mogen hier niet binnen. Je kunt deze passage mijden door aan de dwarsweg rechts de bewegwijzering naar de Sporthal te volgen (eerst grijs, later rood). 600 m verder verlaat je de begrazingszone door een gelijkaardig hek. Onderweg slinger je eerst tussen de sleedoornstruiken. Aan een eerste duin sla je rechts af en voorbij een tweede groter duinmassief komt het klaphek. Hier komen de baasjes met hun hond van rechts weer bij. Je vervolgt de Sleedoornwandeling tot een zandformatie. Daar volg je rechts de 'wandelverbinding Sporthal 210 m'.

5 6 Aan de **sporthal [5]** ga je links rond naar de hoofdstraat. Je volgt die links en aan de afslag naar Koksijde ga je rechtdoor de Noorddreef in. Aan het infobord voorbij de Sint-Janskapel sla je rechts het Kerkepannebos in. Op de open plek buig je links mee en in het bos negeer je de paden links. Je volgt de Jan Vanlooylaan naar links en 500 m verder kies je links de Veurnelaan. Voorbij museum Tafwallet steek je de rotonde over naar het verlengde van de doodlopende Veurnelaan. Op het einde ga je door de poort en je vervolgt dan rechts verder langs het infobord over een pad tussen twee afrasteringen. Je houdt de huizen aan je rechterkant en de Houtsaegerduinen links. Aan de kustweg ga je rechts tot de **afslag naar de Zeepannelaan [6]**.

6 1 Wie in B&B Certi Momenti overnacht, volgt de Zeepannelaan tot de Myriamweg. De anderen steken voorzichtig de kustweg naar de Allemeeschlaan over. Op het einde ga je links het strand op. Bij de eerste appartementen van De Panne ga je de zeedijk op en aan huisnummer 50 sla je de Mijnstraat in naar **Hotel Prinsenhof [1]**.

AANLOOPROUTE
VANUIT B&B CERTI MOMENTI

9 6 Aan **B&B Certi Momenti [9]** wandel je naar het kruispunt met de Zeepannelaan en je gaat er links verder. Alle afslagen negerend kom je aan het kruispunt met de **kustweg [6]** en je steekt die over naar de R. Allemeeschlaan.

UITBREIDING

2 7 Aan het **laatste appartementsgebouw [2]** wandel je verder op het strand of op de betonnen dijk. Je passeert twee slufters. Je herkent ze aan de bruggen waar de slufterdijk onderbroken is. 1,5 km voorbij het laatste appartementsgebouw bereik je de Franse grens. Wie op de slufterdijk wandelt, merkt het aan het einde van de betonnen dijk. Wie het strand benut, moet uitkijken naar de Franse en Europese vlag, een infobord en huisjes op een camping op Frans grondgebied. Hier volg je het oranje Grenspad doorheen mul zand. Voorbij de afslag van de gele wandeling duik je de begroeide pannen in. Je verlaat het natuurreservaat aan de **grenspost [7]**.

7 8 Je steekt de sporen en de weg over, naar een aardeweg naast het bord dat het Belgische grondgebied aanduidt. Na 500 m sla je haaks links een andere aardeweg in. Aan het infobord van Zwartenhoek kies je links een graspad tussen een gracht en een vijver. Je loopt het zigzaggende pad af tot een volgend infobord, waar je de oever van de vijver moet verlaten. Direct voorbij het pompstation sla je rechts af en je komt naast de opgegeven spoorlijn. Aan de private overweg kies je rechtdoor het graspad rechts van de afsluiting. Na twee haakse rechtse bochten bereik je een manège-restaurant-taverne. Voor de gebouwen kies je links de asfaltweg en aan het kanaal ga je links verder.

8 3 Voorbij de Eggaerthoeve sla je links de **Langgeleedstraat [8]** in, je dwarst de spoorweg en op het einde volg je de hoofdweg naar links. Je gaat echter snel over op de parallelweg. Aan de infoborden ga je rechts weer naar De Westhoek. Je volgt de houtsnippers van het Oostergrenspad (grijs) tot je links de groene wandeling verkiest. Aan de **afslag van het rode pad [3]** eindigt de uitbreiding en ga je rechts verder.

VERKORTING NAAR HOTEL PRINSENHOF

4 1 Voorbij de **tramsporen [4]** volg je links het voetpad naar de kerk. Voor het eerste huis neem je schuin rechts de voetgangersdoorsteek naar de asfaltweg langs de schoolgebouwen. Je houdt steeds rechtdoor aan, ook aan de Markt, waar je de geplaveide Zeelaan volgt. Aan de lichten van deze winkelstraat sla je rechts af naar **Hotel Prinsenhof [1]**.

2. De Moeren

NAAR DE REALISATIE VAN WENCESLAS COBERGHER

Deze wandeling leidt je naar het polderlandschap ten zuiden van De Panne. Met de kusttram spoor je naar Adinkerke waar je eerst rond de Cabourgduinen trekt. Voorbij de fossiele duinen trek je de weidse Moeren in, het enige landbouwgebied in ons land dat onder zeeniveau ligt. Het open landschap met grootse akkercomplexen biedt je uitzichten naar Veurne en diep in Frankrijk. Je wandelt kilometers op de 'Fransche Schreve' tot de Ringslot. De brede gracht ontwatert De Moeren. Je volgt het water tot je terug Adinkerke nadert.

AFSTAND 15,5 km, uitbreiding 25,8 km (paars).
VERTREK Station van Adinkerke, het eindpunt van de kusttram
AARD VAN DE WEG Aardewegen en verkeersarme asfaltwegen.
TOEGANKELIJKHEID Mogelijk voor buggy's behalve na regenval.
ETEN & DRINKEN

- Twee zaken aan het station **[1]** en een aan de kerk van Adinkerke.
- Café Au Retour de la Chasse **[2]** en Café Aux Trois Chasseurs (voorbij **[2]**).
- Tearoom-taverne 't Groot Moerhof (tussen **[3]** en **[5]**): Molendam 2, 8660 Adinkerke, 0477 52 59 72 en 0495 43 74 46, www.grootmoerhof.be, info@grootmoerhof.be.
- Café De Noordster en Café Le Relais (Noordmoerstraat/rue du Nord tussen **[3]** en **[5]**)
- Kaffee-terras De Barke (tussen **[5]** en **[4]**): Debarkestraat 2, 8630 De Moeren, open di.-wo. en vr. vanaf 14.00 u, za.-zo. en feestdagen vanaf 11.00 u, ma. en do. gesloten.

DE MOEREN

Oorspronkelijk was het een lagune tussen het vasteland en het eiland waar nu De Panne ligt. Door terugtrekking van de zee verlandde de verbinding naar open water en ontstond een zoetwatermeer en -moeras. In de middeleeuwen werd turf gestoken en vis gekweekt. In 1616 gaven de aartshertogen Albrecht en Isabella aan hun hofarchitect Wenceslas Cobergher de opdracht om De Moeren droog te leggen. De Moeren werden om strategische redenen onder water gezet, om pas rond 1800 opnieuw drooggelegd te worden. De laatste onderwaterzetting dateert van maart 1944, toen de terugtrekkende Duitse soldaten de polders lieten overstromen met zeewater.

DE WANDELTOCHT

1 → 2

Aan het **station van Adinkerke [1]** wandel je naar de hoofdstraat van Adinkerke en je volgt die naar rechts. Aan de kerk ga je rechts en onmiddellijk volg je links de smalle doodlopende klinkerweg Kasteelwijk. Op het einde buig je rechts de woonwijk in. Op de T-sprong ga je links de voetbrug over het kanaal over. Je komt op een drukke weg die je rechts langs het kanaal volgt. 250 m verder ga je schuin links de Veldstraat in. Je negeert nu elke afslag en na 800 m wandel je langs de omheinde Cabourgduinen. Dat doe je over een afstand van 1,8 km tot de **Veldstraat eindigt [2]** aan een café.

2 → 3

Je slaat de asfaltweg links in en je wandelt op de Franse grens. Je steekt hierbij de Cabourgduinen (links) en de Franse duinen van Ghyvelde (rechts) door. Bij het volgende kruispunt, weeral met een café, ben je door de fossiele duinengordel en je gaat er weer links een asfaltweg op. Die gaat snel over in een vergrindde aardeweg en over een afstand van weer 1,8 km stap je langs de andere kant van de Cabourgduinen. Halverwege krijg je opnieuw asfalt onder de voeten geschoven. Op het einde ga je de grote weg rechts op en je steekt de Ringslot en de brug over de autoweg over. Voorbij de brug kom je aan een **afslag bij een hoeve [3]**. Hier gaat de uitbreiding scherp links terugkerend de Molendam in.

3 → 1

Het gewone traject vervolgt de grote weg door de Moeren. Na 2,2 km bereik je bij enkele hoeven een kruispunt. Je slaat er links de Noordmoerstraat in. Op het **einde van de Noordmoerstraat [4]** kom je aan een T-sprong bij de Ringslot. Hier komt de uitbreiding van rechts en je vervolgt naar links. Je passeert de Karelsmolen en na 1,6 km buigt de weg links de Kosterstraat in. Je gaat hier echter rechtdoor langs een grindweg op het grondgebied van Adinkerke. Je blijft dus de Ringslot volgen en waar rechts een brug over het water leidt, blijf je rechtdoor de grasweg langs de Ringslot volgen. Aan een huis krijg je weer asfalt te verduren en je bereikt een T-sprong bij de autoweg. Je gaat er rechts langs de autoweg verder waarbij je onmiddellijk de Ringslot vaarwel zegt. Verderop steek je ook de Koekuitvaart over, de weg buigt rechts af en komt uit op een weg die de autoweg oversteekt. Dat doe je ook, je stapt steeds rechtdoor dus ook aan de rotonde. Je steekt het kanaal over, je passeert de kerk en zo bereik je het **station van Adinkerke [1]**.

UITBREIDING

3 → 5

Aan de **afslag bij de hoeve [3]** ga je links de Molendam op tot aan de autoweg. Daar kies je links onder de brug door en verder langs de autoweg. Na 1,8 km bereik je de taverne 't Groot Moerhof. Juist ervoor sla je links een grindweg in die je met enkele bochten aan de achterzijde van het complex brengt. Daar volg je een kaarsrechte grasweg

(GR-tekens) in de richting van de hoge TV-mast in de verte. Je wandelt nu op de 'Fransche Schreve'. Het gaat ruim 2 km rechtdoor waarbij je halverwege bij een hoeve, een elementaire asfaltverharding onder de schoenen geschoven krijgt. Uiteindelijk kom je aan een dwarsweg met twee cafés. Je steekt over naar de grindweg verder op de grens. Die brengt je ruim 1,5 km verder opnieuw op een rijweg. Nu ga je rechts Frankrijk binnen. Aan de eerste viersprong na 500 m sla je links de rue des Limites in. 800 m verder buigt die haaks naar rechts, maar je gaat rechtdoor tot de oever van de Ringslot die je naar links volgt over een grasweg, de **chemin des Limites [5]**.

5 4

Je blijft nu tot het einde van de uitbreiding de oever van de brede gracht volgen. Na 1 km steek je bij enkele huizen een eerste rijweg over. Je passeert een bemalingstation en aan de volgende dwarsweg steek je weer over, nu naar een grindweg die voorbij een hoeve opnieuw in gras overgaat. Steeds de Ringslot volgend, bereik je de Wenceslas Cobergherstraat die je rechtdoor volgt. Na 250 m buigt die in een lange bocht met treurwilgen naar links. Je blijft er rechtdoor de Ringslot volgen over een doodlopende asfaltweg. Aan een hoeve ga je dan verder op een grasweg langs het water. Bij het volgende huis kom je in de Debarkestraat. Je negeert er uiteraard weer alle afslagen en aan de **Noordmoerstraat [4]** eindigt de uitbreiding. Het gewone traject komt van links en je stapt rechtdoor verder de Ringslot volgend.

3. Naar Nieuwpoort

DOOR DE DUINEN EN MET DE TRAM TERUG

Op deze wandeling blijf je steeds één tot anderhalve kilometer van het strand vandaan. In Sint-Idesbald duik je de Noordduinen in. Over de Hoge Blekker, met 33 m 's lands hoogste duin, volgt de Doornpanne. Voorbij Oostduinkerke zoek je de Plaatsduinen en het Hannecartbos op. Uiteindelijk beland je aan de vismijn van Nieuwpoort. Langs de IJzer gaat het dan naar Nieuwpoort-Bad. De fervente stapper zoekt echter de andere oever op. Voorbij het natuurreservaat De IJzermonding krijg je dan een gratis veerpassage over de IJzer.

AFSTAND Van Certi Momenti: 19,0 km, verkorting Groenendijk 11,3 km, uitbreiding IJzermonding 21,9 km; van Prinsenhof: telkens 2 km meer; terugkeer met de kusttram (oranje).
VERTREK Hotel Prinsenhof **[1]** of B&B Certi Momenti **[2]**.
AARD VAN DE WEG Veel zand, verder aardewegen en verkeersarme asfaltwegen.
TOEGANKELIJKHEID Onmogelijk voor buggy's. Hier en daar dienen honden aan de leiband.
ALTERNATIEVEN Je kunt de wandeling steeds afbreken door links richting de kustweg te wandelen (afstand: 300 m bij bezoekerscentrum Doornpanne tot maximaal 1,5 km aan de kerk van Oostduinkerke).
ETEN & DRINKEN

- Restaurant-grill De Mikke (bij **[6]**): Leopold II-laan 82, 8670 Oostduinkerke, ✆ 058 52 19 45, www.demikke.be, info@demikke.be, open vanaf 11.00 u, keuken 12.00-15.00 u en 18.00-22.00 u, juli-aug. di.gesloten, april-juni en sept. ook ma. avond, okt.-maart enkel vr.-ma. middag open.
- Restaurant-Frituur Paldy: Polderstraat 160, 8670 Oostduinkerke, ✆ 058 23 44 34.
- Meerdere horecazaken aan de vismijn van Nieuwpoort en in Nieuwpoort-Bad.

NATUURRESERVAAT DE IJZERMONDING

Het 130 ha grote gebied op de rechteroever van de IJzer tussen Nieuwpoort-centrum, de zee en het militaire domein Lombardsijde,vormt een uniek landschap aan de Vlaamse kust. Nergens anders vind je een riviermonding waarbij een gebied aansluit met strand, duinen, duingraslanden, mosduinen en polders. Plan Zeehond is een ambitieus project waarbij alle gebouwen en wegenis worden afgebroken. Alle opgehoogde terreinen worden afgegraven tot hun oorspronkelijke niveau van slik, schor en duin.

DE WANDELTOCHT

1 – 2 Aan **Hotel Prinsenhof [1]** wandel je naar de zeedijk. Je gaat er rechts het strand op en bij de eerste gebouwen van Sint-Idesbald verlaat je het en aan het café kies je rechts de R. Allemeeschlaan. Je steekt de kustweg over naar de Zeepannelaan, je negeert alle afslagen, je passeert de **Myriamweg [2]** en op het einde volg je de hoofdstraat naar rechts.

2 – 3 Voorbij 't Lusthof (huisnummer 130) ga je links de parking op, je wandelt door speelplein Kerkepanne. Rechts van de woning zoek je het klaphek dat je in de Noordduinen brengt. Het pad buigt verder rechts af en aan de zandvlakte buig je telkens schuin links mee. Opnieuw aan de afrastering houd je rechts aan (binnen de omheining) en bij veekeerroosters steek je een aardeweg over naar een klaphek. Voorbij het hek ga je schuin links verder. Voor je bij een huis de afrastering opnieuw nadert,vervolg je schuin rechts het Artiestenwandelpad. Na enkele bochten verlaat je de Noordduinen via een klaphek, je volgt de aardeweg naar rechts en daarna de grote weg naar links. Juist voor de **Zuid-Abdijmolen [3]** kies je het pad rechts langs de afrastering.

3 – 4 Je draait rond de molen en je volgt verder de afrastering. Na 200 m kun je rechts opnieuw de Noordduinen in. Je blijft links van de woning, je houdt rechtdoor aan en bij een bordje van het IJslandvaarderspad ga je haaks links, het wandelpad in omgekeerde zin volgend. Rechtdoor aanhoudend bereik je twee zandvlakten. Je volgt die rechtdoor en op het einde buig je schuin links af, dalend richting schoolgebouwen. Na enkele bochten verlaat je het omheinde gebied door een klaphek en je wandelt links naar de asfaltweg die je 30 m naar links volgt, om rechts het Westhoekruiterpad te kiezen. Je negeert drie afslagen naar links en je eindigt op een rubberen mattenweg. Je gaat links en je volgt de GR-tekens. Voorbij een weg en een infobord houdt je schuin links aan langs de lage afrastering tot een volgend infobord bij een parking. Hier ga je rechts bergop de **Hoge Blekker [4]** op.

4 – 6 Boven buig je links af naar het huis bij de Panoramalaan. Je verlaat die voor de Cesar Francklaan, je kiest de Hoge Blekkerlaan naar rechts en voorbij de poort kom je in de Doornpanne. Aan het reservoirgebouw buig je links mee en na nog een haakse rechtse bocht steven je af op het **bezoekerscentrum De Doornpanne [5]**. Je steekt er de asfaltweg over. Waar je zand onder de schoenen krijgt kies je de GR-tekens naar rechts en over een smalle zandweg in de duinen bereik je een asfaltweg. Je steekt die over naar het Westhoekruiterpad. Weldra gaat het omwoelde pad over in brede duinen. Je wandelt rechtdoor naar de kerk. Je houdt die links van je en op de parking voor de **Sint-Niklaaskerk [6]** steek je schuin rechts door naar de Verhaertstraat.

NOORDDUINEN, HOGE BLEKKER, DOORNPANNE, PLAATSDUINEN, TER YDE EN HANNECARTBOS

Onze westkust is een aaneenschakeling van duinen. Je mag dan wel niet te dicht bij het strand komen, want van aan de rijen appartementsblokken op de dijk, lijkt de kuststrook tussen De Panne en Nieuwpoort-Bad geenszins op een aaneengesloten duinenmassief. De laatste winter is heel wat werk geleverd om enkele duinmassieven beter toegankelijk te maken. De Noordduinen en de Doornpanne zijn van nieuwe paden voorzien. Doorheen de Plaatsduinen moet je echt nog je weg banen. In het Hannecartbos is het vrij nat. De Waterloop Zonder Naam heeft er voor een moerasbos gezorgd, terwijl enkele meters verder de poederdroge Ter Yde-duinen en Kartuizerduinen opdoemen.

6 – 7

Aan de Artanstraat ga je links de Plaatsduinen in. Je negeert de eerste afslagen en wandelt in de richting van een huis met rood dak. Na 100 m buigt het pad geleidelijk naar rechts en je gaat een steile duin op. Boven ga je rechtdoor en je richt je op een hoog wit huis met het rode dak in de verte. Je daalt tot tweemaal toe een steile duin af voor je naar rechts afbuigt. Je houdt steeds de hogere duinkammen aan en waar je op een woonwijk dreigt af te stevenen kies je weer de richting van het witte huis. Na een laatste duinkam daal je af naar een asfaltweg met jonge knotwilgen. Je volgt de weg naar rechts en je slaat links de Nieuwe IJdelaan in. Aan de tweede haakse bocht ga je rechtdoor een zandpad langs de afrastering van Ter Yde (GR-tekens) op. Na 100 m buig je rechts af naar een infobord en bij de Y-splitsing kies je de asfaltweg links. Op het einde ga je links door een klaphek het Hannecartbos in. De aardeweg eindigt bij de afgesloten toegang van het waterwinningsgebied. Je volgt er de aardeweg rechts tot op de **asfaltweg [7]** waar de verkorting naar de **kustweg bij Groenendijk-Bad [11]** begint.

7 – 10

Het hoofdtraject gaat rechts. Op het einde van de Noordzeedreef volg je links het voetpad van de Polderstraat. Aan de lichten steek je de Kinderlaan over naar de Victorlaan. Je volgt deze gevaarlijke weg, tot je na 250 m rechts een private grasweg neemt. Na een haakse bocht bereik je een T-sprong en je vervolgt de aardeweg links. Je steekt over naar de Blekerijdreef. Aan de tweede woning kies je rechts de grasweg naar een hoevetje. Bij het Ysermonde centre ga je rechts, op het einde van de Zeemeerminnendreef steek je de Victorlaan over en je volgt het fietspad naar links tot je voor huisnummer 24 rechts een tegelpad neemt. Je houdt steeds rechtdoor aan, ook voorbij de beek, en voorbij een sportveld ga je schuin links een brede weg op. Voorbij een

kanaal volg je links de grasstrook langs het water. Aan de kustweg ga je links en aan het zebrapad voorbij de Oude Veurnevaart steek je de kustweg over naar een klinkerpad. Aan de **IJzer [8]** begint de uitbreiding naar rechts. Het gewone traject gaat schuin links verder over de IJzerpromenade. Voorbij het **veer [9]** bereik je het einde van de promenade en ga je links de hoofdstraat in. Aan de rotonde met de kleine vuurtoren wandel je rechtdoor en de eerste afslag links leidt naar **tramhalte Nieuwpoort-Bad [10]**.

UITBREIDING

8 9

Aan de **IJzer [8]** ga je rechts opnieuw over de Oude Veurnevaart. Voorbij het douanekantoor volg je de kade van de vismijn (met de hond de vismijn rechts ronden). Juist voor de IJzerbrug steek je rechts door naar de weg en ga je de IJzerbrug over. Voorbij de brug volg je links de Watersportlaan. Waar die dreigt dood te lopen tussen bergen zand, sla je haaks rechts af. Op het einde vervolg je rechts de Dienstweg. Je rondt de Nieuwe Jachthaven en op het einde ga je rechts over de parking naar een infobord bij de ingang van **De IJzermonding [12]**. Je volgt de asfaltweg die overgaat in een aardeweg en –pad, en eindigt in een bocht van een asfaltweg. Je kiest links en dat je doe je ook aan het hek van het militaire domein. Aan de IJzer sla je rechts af en 100 m verder maak je gebruik van de gratis **veerdienst [9]**.

In dezelfde reeks:

www.lannoo.com

Omslagontwerp en lay-out Keppie & Keppie
Omslagfoto Jonas Lampens, Jos Verhoogen (foto's logies)
Teksten Julien Van Remoorteren en Erwin De Decker
Fotografie landschappen: Johan De Meester
Fotografie logies: An Nelissen p. 35; Bart Dewaele p. 73, 74, 93, 94; Jos Verhoogen p. 112, 113, 115; Katrijn Van Giel p. 34, 37, 55; Mine Dalemans p. 52; Stefanie Deleu p. 175, 193, 194, 195; Tolkantoor p.132; Wim Kempenaers p. 15, 16, 17; Wouter Van Vooren p. 152, 153, 155, 172, 173.
Cartografie Eli Smet

D/2007/45/233 - ISBN 90 209 6944 3 - NUR 502, 504

Gedrukt en gebonden bij Drukkerij Lannoo